М а с т е р   К р

MAR 18

Чингиз АБДУЛЛАЕВ

Тождественность любви и ненависти

МОСКВА
2017

УДК 821.161.1-312.4
ББК 84(2Рос=Рус)6-44
   А13

Абдуллаев, Чингиз Акифович.

А13   Тождественность любви и ненависти / Чингиз Абдуллаев. – Москва : Издательство «Э», 2017. – 320 с. – (Абдуллаев. Мастер криминальных тайн).

ISBN 978-5-699-99455-7

Что чувствует человек, который уверовал в предсказание цыганки, что ему осталось жить всего два дня? А если он еще и могущественный миллионер, привыкший попирать пятой мир? Давида Чхеидзе захлестывает череда мистических совпадений, мучительных воспоминаний и любовных интриг. Оставшиеся часы потрясенный предприниматель всеми силами пытается уйти от судьбы. Под подозрение попадает все ближайшее окружение Чхеидзе, включая его личную охрану и неожиданно объявившуюся дочь, о существовании которой он прежде даже не догадывался. Известный частный детектив Дронго берется помочь бизнесмену выйти на след киллеров. Но не является ли круговерть событий, вырвавшая Чхеидзе из привычной жизни, игрой его воспаленного воображения?

УДК 821.161.1-312.4
ББК 84(2Рос=Рус)6-44

ISBN 978-5-699-99455-7

«Во всех моих книгах, буквально в каждой из них, живут женщины, как воспоминание обо мне прежнем. Они сохранились в них такими, какими я любил их, такими, какими они были, пока непонимание не разлучило нас.

На страницах моих книг они останутся волшебно прекрасными, навсегда покорившими меня тем совершенством и красотой, в которую я их облек, — младенчески чистые, непорочные и познавшие чувственную любовь. В моих книгах все они принадлежат только мне одному, которого могли бы одарить, но так и не одарили истинной любовью.

Их столько, что я даже не знаю, не являются ли они все чистейшим вымыслом, иллюзией, которой я стараюсь заменить то, в чем жизнь мне часто отказывала. Я всех их выдумал, сам создал их силой воображения из той непостоянной материи, каковой является человек, в поисках той единственной, которую мне так и не удалось найти, и сделал их совсем не такими, какими они, вероятно, были. Тем лучше. Неудача — признак слабости, но, я повторяю, тем лучше, потому что она, истинная, единственная, и не должна была появляться на страницах раскаяния моих книг.

И как чудесно возвратиться к ним, снова погрузиться в свои прекрасные видения и обладать ими, детски простодушными, доверчивыми, чистыми, воскресив в себе юношескую нежность, волнение, безумную жажду любви и обожания, и я затворяюсь в этой пустыне интимнейших стремлений своей души, где никогда не бывает эха, но постоянно живут смятение и обыденность давно минувших ночей.

Сотворенные из легенд, все они и поныне живут во мне, но ни одна из них в сумраке ночи не видится мне отчетливо и ясно. Имена не важны... Да и зачем они?

По ним всем и по каждой в отдельности эта застарелая мужская тоска, превратившаяся в одержимую мечту о новой женщине, которую и разум отвергает, и глаза не воспринимают, и руки отталкивают, а она, несмотря ни на что, все ночи напролет ласково гладит мою голову, и голова моя кружится от мучительного восторга... Просыпаюсь — но ее уже нет со мной. Знаю, что мне ее никогда не найти, найти ее невозможно, разве что на страницах еще не написанной мною книги, на которых и появится эта восхитительная женщина, но ей я никогда не смогу громко сказать:

— Здравствуй, моя любовь!

А днем они уже не рождаются — все заметнее увядают в причудливой игре света. И я, опьяненный мечтой, нахожу любовь лишь на страницах моих романов, которые уже не принадлежат мне.

В них остается моя жизнь и тоска, мечты о завтрашнем дне и неудачи, друзья и враги, честность и угрызения совести, стремление к звездам и грубая реальность, ранившая, как кинжал, меня и женщин, которых я любил».

Антонио Алвес Редол.
«Страницы завещания»

ВМЕСТО ВСТУПЛЕНИЯ

Он будет помнить об этом странном деле всю свою жизнь. Дронго провел немало расследований, но подобное расследование запомнилось ему более всех остальных. Может, потому, что оно было столь необычным и почти невозможным. А может, потому, что оно отчасти относилось и к самому Дронго. Он старался не думать именно об этом деле, но оно неизменно напоминало о себе, вторгаясь в его сны. Иногда ему казалось, что он просто путает происшедшие события со своими снами и все, о чем он помнил, ему всего лишь приснилось. А иногда он вспоминал в подробностях это загадочное дело и в очередной раз удивлялся человеческой природе. И отчасти самому себе.

Все началось еще за несколько месяцев до этих событий в Москве, когда он прилетел в Цюрих, где договорился встретиться с Джил. Этим вечером они ужинали в «Долдер Гранд-отеле», где она заказала для них двухместный номер. В этом отеле находился ресторан средиземноморской кухни «Ротонда», который по праву считался одним из самых лучших ресторанов не только в Швейцарии, но и вообще в Европе.

Дронго не любил сидеть в центре, предпочитая столики в углу, откуда удобно было следить за залом и оставаться незамеченным. Им принесли бутылку красного итальянского вина «Баролло», которое он так любил, когда в зале ресторана появились несколько неизвестных мужчин и красивых молодых женщин. Двое высоких мужчин громко говорили по-русски. Их спутник, доходивший им до плеча, очевидно, не знал русского, так как общался с ними только на английском. Незнакомцев посадили за лучший столик у окна, откуда открывался удивительный вид на Альпы. Дронго невольно взглянул в их сторону.

Среди новых посетителей выделялся высокий мужчина, чем-то неуловимо похожий на самого Дронго. Такого же высокого роста, начинающий лысеть, с уже пробивающейся сединой на висках, внимательным взглядом наблюдательного человека. Широкие плечи, крупные черты лица, тонкие губы, щёточка усов. Незнакомец взглянул в сторону Дронго. И уселся за столик, продолжая разговаривать со своими спутниками. Среди трёх женщин, которые появились вместе с ним в ресторане, была и очень известная молодая итальянская актриса, о которой уже неоднократно писали все итальянские газеты, обсуждая ее скандальный разрыв с одним из владельцев автомобильного концерна «Фиат», с которым, владельцем, она часто появлялась на людях в последние месяцы. Джил, поймав взгляд Дронго, усмехнулась.

— Все считают, что она самая красивая женщина в Италии. Новый секс-символ, после Софи Лорен и Моники Беллучи, — улыбнулась Джил. — Тебе она нравится?

— Очень красивая женщина, — кивнул Дронго, — но мне больше нравишься ты.

— Приятная ложь только усугубляет твою вину, — погрозила пальцем Джил, — но она очень неплохо сыграла в последнем голливудском фильме. Возможно, у нее блестящее будущее.

— Ты не знаешь, кто ее спутники? — поинтересовался Дронго. — Кажется, я видел некоторых из них на фотографиях в газетах.

— Конечно, видел, — согласилась Джил, — сидящий слева от нее — известный американский режиссер. Если я не ошибаюсь, он недавно взял два «Оскара». Или три, я точно не помню.

— Нет. Его я знаю. А кто сидит рядом?

— Про него тоже писали в газетах. По-моему,

это какой-то известный русский мультимиллионер. У него грузинская фамилия.

— Ты могла бы знать разницу между русским и грузином, — заметил Дронго. — Когда так говорят другие иностранцы, это их извиняет, но ты обязана знать, что в бывшем Советском Союзе жили люди больше ста народностей и национальностей...

— Поэтому я и говорю. Он грузинский миллионер, который приехал из России. Или российский миллионер с грузинской фамилией. Ты ведь сам мне объяснял, что среди российских олигархов есть не только русские, но и евреи, грузины, азербайджанцы. А того, кто сидит рядом с ним, я не знаю.

— Зато я знаю, — сказал Дронго, — они громко говорили на русском, и поэтому я его вспомнил. Рядом с этим грузином сидит известный российский банкир, который сделал себе состояние в девяностые годы, а затем после дефолта сбежал из страны. В общем, интересная компания. Но я обещаю больше не смотреть в сторону самой красивой актрисы Италии и буду разговаривать только с тобой.

— Ты уже два раза взглянул в ее сторону, — заметила Джил, — хотя признаюсь, что она действительно очень красивая женщина.

— Больше не буду, — буркнул он, прилагая определенные усилия, чтобы не смотреть в сторону этой экзотической компании.

Он запомнил эту необычную встречу и даже постарался узнать фамилию человека, на которого он обратил внимание. Но с тех пор прошло шесть месяцев. И однажды вечером у него дома раздался телефонный звонок, и неизвестный женский голос, знакомый ему прежде и не узнанный теперь, вдруг напомнил ему о прошлом, чтобы познакомить с этим человеком и втянуть его в самую невероятную историю, которая только могла с ним случиться.

День первый.
ВОСПОМИНАНИЯ

Нужно было приехать в Москву, чтобы спустя столько лет почувствовать ностальгию по ушедшей молодости, по давно минувшим временам. Он вдруг с нарастающим раздражением и сомнением вспомнил, что не был в этом городе больше десяти лет. Одиннадцать? Двенадцать. Правильно. Он не был в этом городе, где прошла его молодость, двенадцать лет и в последний раз уезжал отсюда осенью девяносто пятого. Тогда все было совсем иначе. Другая страна, другие люди, другие реалии.

Давид Георгиевич Чхеидзе, сорокапятилетний бизнесмен, проживающий под Цюрихом, прилетел на переговоры в Москву дневным рейсом из Швейцарии. В аэропорту его встречали представители компании, с которой он должен был провести свои переговоры. Его личный секретарь Лиана Каравайджева и телохранитель Гюнтер Вебер прилетели вместе с ним. И хотя у телохранителя не было оружия, в его присутствии Давид Георгиевич чувствовал себя спокойно и уверенно. Его секретарь заранее оговорила условия приема, подчеркнув, что в обязанности принимающей стороны входит обязанность выставить четырех вооруженных охранников и два джипа с бронированными тонированными стеклами для сопровождения гостя.

Его встречал вице-президент одной из самых крупных российских компаний, работавших в сфере строительного бизнеса, Альберт Аркадьевич Самойлов, с которым они были знакомы уже несколько лет. Это был крупный, полноватый мужчина с несколько одутловатым лицом и вьющимися каштановыми волосами. Он был одним из тех мужчин, на которых любой, даже самый дорогой, костюм сидит безобразно. У него была мешковатая фигура, и поэтому он больше был похож на неряшливо одетого мелкого лавочника, чем на миллионера и вице-президента солидной компании.

Чхеидзе уселся в первый джип, где кроме водителя разместились его собственный телохранитель и Самойлов. Во втором джипе сидели трое других охранников и его секретарь, которая устроилась на переднем сиденье, вызвав явное недовольство у остальных сопровождавших.

Два больших джипа понеслись по Ленинградскому проспекту, направляясь к центру города. Чхеидзе с удивлением разглядывал прежде знакомые места. Все было так, и все было немного по-другому. Размер жилищного строительства в Москве превосходил всякое воображение. Он в который раз подумал, что выбрал нужных партнеров, решив вложить часть своих средств в строительную индустрию московской компании.

Двенадцать лет назад Давид Чхеидзе уехал из этого города, когда криминальные разборки в городе достигли своего пика. Он получил извещение о готовящемся на него покушении. И потом произошло само покушение. Возможно, это была лишь уловка конкурентов, которые хотели таким образом убрать из города своего соперника. Возможно, это была действительная угроза, с которой ему нужно было считаться. К этому времени в Москве, да и по всей России, отстрел бизнесменов принял массовый характер. Стреляли и убивали прямо на улицах городов. Убивали бизнесменов, банкиров, криминальных авторитетов — шла беспощадная война на выживание. Первого марта убили одного из самых популярных телеведущих, который только пытался отрегулировать потоки рекламных денег, нараставшие с каждым днем. Сам президент страны публично дал слово найти убийц. Но никого не нашли, хотя подозреваемый в организации убийства бизнесмен был очевиден для всех.

По непонятной логике судьбы Давид Чхеидзе благодаря этим криминальным разборкам стал очень богатым человеком. После того как убили руководителя их компании Петросяна, он стал президентом вместо него и, выплатив вдове убитого два миллиона долларов, присоединил к своим акциям акции своего бывшего руководителя, которые уже на тот момент стоили более двадцати миллионов долларов. И тем не менее вдова и двое детей покойного были признательны Чхеидзе за его помощь. Они тогда распродали все имущество и переехали в Америку. Чхеидзе уже к началу девяносто пятого года «стоил» около сорока миллионов долларов. К тому же он оказался владельцем большого земельного участка на северо-западе столицы. Но в девяносто пятом на него одновременно начали наезжать и криминальные авторитеты, недовольные тем, что его структуры работают без их поддержки, и сотрудники правоохранительных органов, которые во многом также «крышевали» бизнесменов и требовали своей полагающейся доли прибыли для обеспечения безопасности бизнеса, и даже государственные чиновники, недовольные появлением в строительном бизнесе города подобного конкурента. Чхеидзе был достаточно умным человеком. И очень молодым. В девяносто пятом ему только исполнилось тридцать три года. Когда в его офисе взорвали бомбу и он не пострадал лишь по счастливой случайности, Давид понял, что оставаться в Москве становится не просто опасно, но и бессмысленно. Он нашел неплохого покупателя и продал ему свой бизнес, прибавив к своим сорока еще и тридцать миллионов долларов. Землю он решил попридержать. Она тогда стоила не очень дорого. И на ней находились пустующие помещения бывшего НИИ, в котором он когда-то работал. Чхеидзе даже не мог предположить, сколько будет стоить московская земля через десять лет.

Он уехал в Германию, а оттуда перебрался в Италию. Полученные миллионы он использовал с умом, сумев вложить их в акции строительных компаний Швейцарии и Италии, где в это время как раз начинался очередной строительный бум. Одним из его компаньонов оказался итальянский магнат Берлускони, когда-то начинавший зарабатывать в качестве итальянского барда перед богатыми клиентами. Вершиной авантюрной политики Берлускони стала покупка почти за бесценок огромного участка земли в Милане рядом с аэропортом. Земля стоила так дешево именно из-за находящегося рядом аэропорта. Отсюда поднимались все самолеты, вылетавшие из города. Шум и выхлопные газы делали этот участок земли почти бесхозным. Берлускони купил эту землю и сумел договориться с руководством аэропорта, чтобы они изменили направление своих взлетно-посадочных полос, перенеся взлет и посадку самолетов в противоположную сторону. В результате стоимость участков земли возросла сразу в двадцать, тридцать, а то и в пятьдесят раз. Берлускони сорвал очередной куш, заработав на этой спекулятивной сделке, а Чхеидзе получил еще несколько десятков миллионов долларов.

Через несколько лет состояние грузинско-российского миллионера оценивалось уже в двести пятьдесят миллионов долларов. К тому времени ему поступило предложение о продаже земли, которую оценивали в баснословную сумму в пятьдесят миллионов долларов. На переговоры прилетел Самойлов. Оформление покупки завершили в прошлом году, и Чхеидзе стал богаче еще на пятьдесят миллионов. Все эти годы он жил в своем швейцарском замке под Цюрихом или в Лос-Анджелесе, где он купил небольшой дом. Через знакомых режиссеров и актеров, переехавших на Запад, он познакомился с известными продюсерами, вложил деньги в производство нескольких голливудских картин и завел очень приятные знакомства с некоторыми топ-моделями и актрисами. Среди фильмов, в которые он вложил свои деньги, три просто оказались убыточными, принося минус в шестьдесят миллионов долларов, зато четвертая картина не только окупила все предыдущие, но и принесла прибыль. Одним словом, Давид Георгиевич Чхеидзе был относительно молодым, очень богатым, симпатичным мужчиной без комплексов, холостым, считавшимся завидным женихом, известным бизнесменом, имевшим репутацию «счастливчика», сумевшего правильно устроиться в жизни. В сорок пять лет он решил прилететь в Москву после двенадцатилетнего перерыва и вложить часть своих денег в расширяющийся строительный бизнес.

К этому времени Чхеидзе уже имел гражданство Германии и два вида на жительство — в Швейцарии и в США. К тому же он прекрасно владел не только грузинским и русским, но и сумел выучить немецкий и английский языки. Он еще раз посмотрел на новые здания, видневшиеся по пути следования, и усмехнулся.

— Москва сильно изменилась, — сказал он Самойлову.

— Вы даже не можете себе представить, как сильно, — восторженно воскликнул Альберт Аркадьевич, — завтра поедем осматривать город, и вы его не узнаете. Сколько лет вы не были в Москве? Пять или шесть?

— Двенадцать.

— Тогда тем более не узнаете, — заявил Самойлов, — ни в одной крупной столице мира не произошло столько изменений за последние двенадцать лет, как в Москве. Даже в Пекине все немного иначе.

— Не знаю, — вежливо ответил Давид Георгиевич, — я в Китае не был. Но, судя по всему, вы правы.

— Вы все сами увидите, — кивнул Самойлов, — вы ведь жили в Москве? Вы здесь родились?

— Нет. Я родился в Тбилиси. А сюда приехал в семьдесят девятом, когда поступал в институт. Вернее, поступал я в Грузии, тогда республикам давали специальные места для национальных кадров. И на такое место в МВТУ я и поступил. У нас в Тбилиси все хотели поступать либо в МГУ, либо в МИМО. А мне больше нравились математика и физика. Я никогда не был гуманитарием. Все хотели быть либо юристами, либо дипломатами.

— И потом вы остались в Москве?

— Не совсем. По распределению я попал в Новосибирск и там работал несколько лет, до восемьдесят восьмого. А потом снова вернулся в Москву, как раз в один научно-исследовательский институт. Тогда, в восемьдесят восьмом, меня сразу избрали заместителем секретаря комитета комсомола, и мы создали молодежное объединение. Нам тогда выделили пустующие помещения бесплатно. Мы продавали привезенные компьютеры. Я вам никогда об этом не рассказывал. Сейчас об этом даже смешно вспоминать...

— Почему смешно? — возразил Самойлов. — Самый богатый российский миллиардер Абрамович начинал в это время с продажи резиновых игрушек. И где он сейчас?

— Значит, мне повезло меньше, — улыбнулся Чхеидзе, — потом был общий развал и общий бардак. Институт закрыли, наш старый директор получил инфаркт, не выдержав прелестей «перестройки», а мы на правах кооператива, существовавшего в самом институте, приватизировали сначала свое здание, а затем и все остальные помещения института. В девяносто втором институт приказал долго жить. Его просто закрыли. И мы с моим другом Саркисом Петросяном, который был заместителем директора по хозяйственной части, приватизировали здание института и его землю. Между прочим, мы выплатили тогда всем сотрудникам института, даже вахтерам, их зарплату за два года вперед. Я думаю, так поступали не все. Вернее, так никто не поступал.

— Это та самая земля, которую мы потом у вас купили? — понял Самойлов.

— Да. Я ее не стал продавать, когда уезжал отсюда в девяносто пятом. Решил немного подождать. Она тогда практически ничего не стоила.

— Очень верное решение. Вы тогда были единственным владельцем?

— Сначала мы приватизировали здания и получили землю вместе с Петросяном.

— И ваш друг с вами согласился?

— Его к этому времени убили. Я выплатил его жене и дочерям очень большую сумму в долларах, и они уехали в Америку, переписав на меня все акции компании и нашу землю. — Давид Георгиевич предусмотрительно не сказал, что заплатил только два миллиона, тогда как акции стоили двадцать, а саму землю впоследствии он продал за пятьдесят. Но это были «мелочи», на которые не стоило обращать внимание своего собеседника.

— Вы поступили очень благородно, — кивнул Самойлов, — в девяностые годы у нас был полный беспредел. Когда я вспоминаю те годы, то просто удивляюсь, что остался жив. Тогда никто не знал, сумеет ли он вечером вернуться домой. Сейчас много очень богатых людей в Москве, но все они очень рисковали в те годы, очень сильно рисковали, — повторил Альберт Аркадьевич.

— Поэтому я и уехал, — кивнул Чхеидзе, — решил, что жизнь дороже денег. Может, сейчас был бы миллиардером, как Абрамович, или лежал где-нибудь в земле, как многие из моих знакомых или как мой друг Петросян.

— Правильно, — согласился Самойлов, — жизнь не купишь ни за какие деньги. Мне говорили, что у вас были тогда неприятности?

— Это еще мягко сказано, — заметил Давид Георгиевич, — если считать «неприятностями» бомбу, которую взорвали у меня в офисе. К счастью, никто не пострадал. И я мог только догадываться, что именно хотели сделать эти подонки. Либо убить меня, либо напугать, либо выжить отсюда, либо отнять мой бизнес. Но в любом случае оставаться было опасно. И я уехал. Можно считать меня таким «разумным трусом», но я считаю, что любая опасность требует адекватного к себе отношения.

— Сейчас совсем другие времена, — улыбнулся Самойлов, — у нас уже порядок и никого не убивают на улицах. Или почти не убивают. Прошло столько лет, и новый президент сумел навести порядок и в городе, и в стране. Никто на бизнесменов уже не наезжает — ни бандиты, у которых теперь свой легальный бизнес, ни сотрудники милиции или ФСБ, у которых тоже свой бизнес. Все распределено. Теперь самая большая опасность — появление в вашем офисе налоговых инспекторов, которых боятся больше бандитов.

Наши олигархи и бизнесмены уже привыкли не бояться криминальных авторитетов, которые за девяностые годы просто истребили друг друга. Зато все боятся государства. Если ваш бизнес не нравится государству, то вам лучше его свернуть и сразу уехать. А если вы не раздражаете государство своими политическими амбициями и ненужными выпадами, то можете жить и работать, ничего не опасаясь. Хотя нужно еще платить налоги и отчислять часть денег на необходимую благотворительность. Но так поставлена работа и на Западе.

— Похоже, у вас произошли революционные изменения, — весело сказал Чхеидзе.

— Еще какие. Вы давно не были в Новосибирске? Сейчас изменения идут по всей стране.

— Давно. Больше двадцати лет.

— Тогда вам нужно совершить и туда экскурсию. Я недавно там был. Хотя таких изменений, как в нашем городе, вы уже нигде не увидите.

— Я думаю. Мне говорили, что в центре столицы снесли отель «Москва»? Как жалко, я помню, какое это было монументальное здание. Туда невозможно было попасть, всегда стояли строгие швейцары. Но самые строгие правила были в отеле «Россия». Я все время говорю по западной привычке «отель», а не «гостиница». «Россия» осталась? Или ее уже успели снести?

— Снесли, — радостно кивнул Самойлов, — из-за нее такой скандал получился. Сначала тендер выиграл Шалва Чигиринский, вы о нем, наверно, слышали. А потом, когда гостиницу снесли, выяснилось, что суд отменил итоги тендера. Теперь в московской мэрии не знают, как им быть. С одной стороны, он столько денег потратил и столько уже вложил, а с другой — есть решение суда.

— Похоже, что у вас строительный бизнес по-прежнему считается зоной большого риска? — поинтересовался Чхеидзе. Он знал эту нашумевшую историю из швейцарских газет.

Самойлов испугался. Он подумал, что напрасно вспомнил об этом решении суда. Такой инвестор, как Чхеидзе, появляется не каждый день. И вдобавок он был почти своим, понимающим местные трудности и готовым инвестировать в их строительный бизнес несколько десятков миллионов долларов.

— Я думаю, что решение суда еще могут отменить. У нас в городе никто не спорит с московской мэрией, — осторожно добавил Альберт Аркадьевич, — а насчет гостиниц все понятно. «Интурист» тоже давно снесли, а на его месте сейчас новый пятизвездочный отель построили. И «Минск» скоро снесут. В общем, все старые гостиницы заменяют на новые. Но вы все сами увидите. Мы заказали вам номер в «Национале», он как раз напротив бывшей «Москвы».

— Это я помню, — улыбнулся Давид Георгиевич, — рядом было здание Госплана, которое потом передали Государственной думе. Я ничего не путаю?

— Нет. Все правильно.

— И еще в переходе всегда были старые цыганки, которым я всегда давал деньги. Одна такая пожилая женщина, кажется, ее звали Виолеттой, она мне тогда нагадала. Честное слово, не поверите... Она мне нагадала, что я уеду из города и не буду здесь ровно двенадцать лет. Да, она мне так и сказала. Двенадцать лет, — растерянно произнес Чхеидзе. Он совсем забыл об этом случае и только сейчас вспомнил. Двенадцать лет... Какое интересное совпадение.

— Сейчас там тоже бывают цыганки, — сообщил Самойлов.

— Как интересно. Нужно будет спуститься, чтобы их увидеть. Когда у нас должны начаться переговоры? — поинтересовался Чхеидзе.

— Через два часа, — сообщил Самойлов, — у вас будет время отдохнуть и переодеться, если вы захотите. Рядом с вашим «люксом» два заказанных номера для вашего секретаря и телохранителя. Если они будут жить отдельно от вас.

Самойлов видел Лиану, которая выглядела как топ-модель, готовая выиграть любой конкурс. Высокого роста, с удивительно красивыми голубыми глазами, всегда тщательно уложенными волосами, одетая в неизменно элегантные костюмы от Балансиаги, она вызывала восхищение у всех, кто с ней общался. Чхеидзе это знал и поэтому возил ее с собой по всему миру, оставляя в своем швейцарском офисе другого секретаря. Оставшейся в Цюрихе Магде было пятьдесят четыре. Она была педантична, как все немцы, аккуратна, пунктуальна и исключительно добросовестна. Но не обладала ни внешностью, ни такой грудью, как у Лианы, и поэтому всегда оставалась дома.

— Они будут жить в своих номерах, — ответил Чхеидзе. — А можно мне, перед тем как мы поселимся в отеле, спуститься вниз, в тот самый переход? Мне будет просто интересно посмотреть. Потом у меня не будет времени.

— Конечно, можно. Там сейчас из перехода можно пройти в большой комплекс под Манежной площадью. Несколько этажей. Магазины, рестораны, кафе. Если вам интересно...

— Это мне неинтересно, — возразил Давид Георгиевич, — я хочу только посмотреть, как там, в этом переходе. Может, встречу свою старую знакомую, которую не видел целых двенадцать лет. Она мне тогда так точно нагадала. Целых двенадцать лет. Мне казалось, что это вся жизнь. А все эти годы так быстро пролетели.

— Мы скоро будем на месте, — сообщил Самойлов, — вы видите, какие автомобильные пробки в городе. Нам еще повезло, что вы прилетели днем. Если бы вы прилетели вечером, то вы бы увидели, какие заторы у нас на Ленинградском проспекте при выезде из центра города. Иногда автомобили стоят по нескольку часов.

— В Швейцарии такого не бывает, — кивнул Чхеидзе. Он взглянул на затылок своего телохранителя. Вебер почти не понимал русского языка, зато знал немецкий, французский и итальянский. Одним словом, все языки, на которых говорили в Швейцарии. И немного понимал английский. Он был бывшим чемпионом Европы в полусреднем весе по боксу. Однажды ему пришлось применить свое мастерство, спасая хозяина от разъяренных футбольных английских болельщиков, которые приняли Чхеидзе за истинного немца — ведь он был одет в куртку с цветами национального флага Германии и болел за немецкую команду. Вебер тогда уложил тремя точными ударами трех нападавших и этим остановил других, дав возможность Давиду Георгиевичу сесть в свою машину. Одним словом, на него можно было положиться.

Оба автомобиля медленно ехали по Тверской. Они проехали площадь Маяковского, затем Пушкинскую площадь, мелькнул бывший комплекс «Известий», памятник поэту. Они спускались вниз, ближе к Кремлю, где находилась гостиница «Националь». И наконец остановились у отеля. Лиана выпрыгнула с переднего сиденья второй машины и оказалась рядом с первой еще до того, как остальные мужчины успели сориентироваться. Она была сообразительной и достаточно агрессивной женщиной. Телохранители посыпались из машин. Вебер вышел из салона автомобиля и открыл перед хозяином дверь.

— Спустимся вниз, в переход, — предложил Чхеидзе, — а ребята пусть занесут наши вещи в отель. Лиана, посмотри, чтобы там все было в порядке.

Она кивнула. Двое водителей начали доставать чемоданы. Самойлов, Вебер и еще двое охранников вместе с Чхеидзе начали спускаться в переход. Он подумал, что даже не знает, почему вдруг принял такое нелогичное решение. В переходах были привычные магазины и киоски. Он огляделся. Отсюда раньше был проход на станцию метро. Сейчас можно было пройти и к помещениям под Манежной площадью. Как странно, что здесь так много людей, подумал Давид Георгиевич. И вдруг увидел пожилую цыганку. На ней была большая широкая юбка, темная кофта, какая-то куртка непонятного цвета и цветастый платок невероятных размеров, который она набросила на голову, закрывая заодно и половину своей куртки. Покрашенные хной коричневые пряди волос выбивались из-под платка. От неожиданности он даже замер, словно его толкнули. Телохранители остановились, стараясь отсечь от него движущийся поток людей. Вебер недоуменно оглянулся.

— Не может быть, — прошептал Чхеидзе, — спустя столько лет... Не может быть.

Он шагнул к цыганке, которая уже обратила на него внимание. Она видела, что его сопровождают сразу несколько человек, и сразу поняла, что этот неизвестный мужчина обладает властью и деньгами.

— Здравствуй, — сказал Давид Георгиевич, все еще не веря своим глазам, — как тебя зовут?

— Как назовешь, так и назовут, — улыбнулась цыганка, показывая свои желто-коричневые зубы, — что тебе нужно, дорогой? Что ты от меня хочешь?

— Как тебя зовут? — уже более нетерпеливо спросил Чхеидзе. — Виолеттой?

— Такое у меня имя, родимый. А ты откуда его знаешь? Мы с тобой разве раньше встречались? И зачем тебе мое имя?

— Виолетта, — задумчиво произнес Давид Георгиевич, — ты меня не помнишь?

— Нет, родной, не помню. Скажи, зачем пришел, и я, может быть, вспомню. Что тебе нужно?

— Можешь погадать мне, — предложил Чхеидзе. Он видел, как на них обращают внимание проходившие люди, некоторые даже останавливались. Другие замедляли шаг. Двое мощных телохранителей и Вебер отсекали любопытных, но этим только привлекали внимание.

— Давай руку, — предложила цыганка, — что ты хочешь узнать?

— Что будет со мной в ближайшие двенадцать лет? — весело спросил Давид Георгиевич.

Она взяла его руку, посмотрела. Затем взглянула ему в глаза. Вздрогнула. Если она была актрисой, то актрисой талантливой. Она отпустила его руку. Слишком поспешно. Почти отталкивая от себя его руку.

— В другой раз погадаю. — Улыбка у нее получилась вымученной.

— Сейчас, — упрямо возразил Чхеидзе.

— Не нужно. — Было видно, что она смущена. Или немного растеряна.

Он достал из кармана две зеленые сотенные бумажки в евро. Протянул ей. Она покачала головой.

— Не нужно, — прошептала она, — ничего не нужно.

Он снова полез в карман и достал купюру в пятьсот евро. Это были очень большие деньги. Не убирая прежних двести, он протянул все три купюры цыганке.

— Скажи, — уже нервничая, твердо сказал Чхеидзе, — мне нужно знать, когда я снова здесь появлюсь. Я поэтому спустился вниз, чтобы у тебя все узнать. Если скажешь, что снова через двенадцать лет, я не стану заключать своего контракта. Скажи, что ты там увидела.

— Ты пожалеешь, — неожиданно произнесла она, — не всегда нужно знать заранее свою судьбу. Ты пожалеешь, что так настаивал.

— Говори. — Он присоединил еще одну купюру в пятьсот евро и почти силой засунул ей деньги в руку.

Самойлов даже крякнул от досады. Он не успел остановить гостя и теперь переживал из-за того, что тот заплатил этой нищей аферистке такую крупную сумму денег.

— Хорошо. — Она взяла деньги, спрятав их куда-то под куртку, затем подняла его руку и еще десять или пятнадцать секунд рассматривала его ладонь. Затем медленно опустила его руку и мрачно изрекла: — Сегодня не садись в машину на свое обычное место. Сядь впереди, так будет лучше. И ты проживешь еще два лишних дня.

— И все ради двух дней? — улыбнулся Давид Георгиевич. — Скажи лучше: когда я приеду снова в Москву?

— Никогда, — ответила она, глядя ему в глаза, — ты отсюда не уедешь. Тебя похоронят в этом городе.

— Хватит говорить глупости, — попытался вмешаться Самойлов, но Чхеидзе перехватил его руку.

— Говори дальше, — потребовал он.

— Тебя убьют через два дня, — сообщила цыганка, — и уже никто не в силах этому помешать. Даже если ты уедешь отсюда. Никто не сможет помешать.

— Заканчивай, — разозлился Самойлов, — что за чушь ты несешь? Получила свои деньги и убирайся. Зачем говоришь такие глупости?

— Проверишь сегодня, — упрямо сказала цыганка, не обращая внимания на остальных, — спасибо тебе за деньги. И ты тоже не дергайся, — посоветовала она Самойлову, — я твою руку не смотрела. Но у тебя все на лице написано. Сначала все хорошо будет, в гору пойдешь, большим начальником станешь. А потом разоришься. Не по тебе это место. Не для тебя.

— Пошла ты... — уже не сдерживаясь, выругался Самойлов.

— Помни, что я сказала. — Цыганка повернулась, чтобы уйти. Но Чхеидзе остановил ее.

— А изменить твое предсказание можно? — глухо спросил он.

— Если сядешь не на свое место, то изменишь. На два дня, — уверенно сказала она, — и больше ничего изменить нельзя. А теперь прощай.

Она повернулась, и Давид Георгиевич не успел больше ничего добавить. Он ошеломленно смотрел, как она исчезает где-то в проходе. Через несколько секунд он обернулся к Самойлову и, чуть запинаясь, спросил:

— Вы слышали, что именно она сказала?

**День третий.
РЕАЛЬНОСТЬ**

Вечером Дронго сидел в глубоком кресле, просматривая газеты. Он получал довольно много газет, в том числе на английском и итальянском языках. Некоторые сообщения он читал прямо в Интернете, обращая внимание на интересные статьи и заметки. В вечерней тишине раздался неожиданный телефонный звонок. Дронго поморщился. Это был городской телефон, по которому мог позвонить и незнакомый человек. Именно поэтому он обычно не отвечал на подобные звонки, а прослушивал автоответчик. Близкие знакомые и Джил обычно звонили на другой номер или на его мобильный телефон.

Раздались еще два телефонных звонка, и затем включился автоответчик. Он прислушался. Кажется, незнакомый женский голос.

— Добрый вечер, — сказала позвонившая женщина, — очень жаль, что вас нет дома. Или тебя. Я даже не знаю, как к вам обращаться. Или к тебе. Прошло столько лет. Может, ты меня вспомнишь. Мы были с тобой знакомы двадцать лет назад, вместе отдыхали в Мангалии. Возможно даже, ты меня помнишь. Я Ирина, работала тогда журналистом. Прилетела тогда из Москвы. Ты можешь мне не поверить, но я иногда слышу о твоих успехах. Я с таким трудом нашла твой номер телефона. Говорят, что теперь тебя зовут совсем иначе. Какой-то смешной кличкой. Кажется, Драго или Дронго. Не знаю, почему тебя так называют. Но если тебе так нравится, значит, нужно тебя называть именно так. Я звоню тебе по очень важному делу. Мне очень нужна твоя помощь. Очень... Мне сказали, что ты часто не бываешь в Москве. Но я решила тебе позвонить. Дело срочное и важное, поэтому я и позвонила вечером. У меня совсем нет времени. Если ты получишь мое сообщение, то, пожалуйста, срочно перезвони мне. Извини, что все получилось так внезапно. Запиши мой номер. — Она продиктовала номер своего телефона и попрощалась.

Телефон отключился. Дронго подошел к аппарату. Отдых в Мангалии. Так называлось это место на самом юге Румынии, где он действительно был в восемьдесят шестом году. Сколько лет с тех пор прошло? Больше двадцати? Он помнил эту поездку, помнил ее хорошо. Именно тогда в Констанце он нашел Алана Дершовица, который считался последним из «великих» киллеров, действовавших в период холодной войны. И тогда в Мангалии у него было несколько романтических встреч. В том числе и с молодой женщиной, которую звали Ирина. Да, он ее помнил. Она прилетела из Москвы, работала журналистом в каком-то журнале. Кажется, в «Дружбе народов». Он сейчас точно не вспомнит. Но ее он помнил хорошо. Как помнил и остальных. Помнил всех, с кем тогда познакомился. Из Румынии он переехал в

Болгарию. Это была удивительная поездка, и ему было тогда только двадцать семь лет.

Спустя столько лет она его нашла. Сколько раз они тогда встретились? Два или три раза. Три. Точно три раза. Сначала они поднялись к нему в номер днем, сразу после обеда. Потом вечером она пришла сама и осталась на всю ночь. А на вторую ночь? Там произошел какой-то инцидент. Нет, не с ней. С другой женщиной. Что-то смешное и обидное одновременно. А потом снова пришла Ирина. И утром она уехала в Бухарест. Это было больше двадцати лет назад. Как быстро пролетели годы! Он вздохнул. Нужно будет ее увидеть. А с другой стороны, немного страшно. Она могла измениться не в лучшую сторону. Впрочем, как и он сам. Тогда ему было двадцать семь. Сколько он тогда весил при его высоком росте? Восемьдесят два или восемьдесят три килограмма? Почти идеальный вес для его роста. Он был молодым и сильным. Через несколько лет он попытался противостоять даже самому Миуре, понимая, что у него нет ни единого шанса. Тогда все казалось таким понятным. А сколько он весит сейчас? Хотя он по-прежнему пытается сохранить форму. Но возраст так или иначе сказывается. И волос на голове стало меньше. Наверное, он ее разочарует. А она его? Почему она позвонила? Что могло случиться?

Он протянул руку. Задумался. Возможно, потом он еще пожалеет об этом. Но сейчас нужно позвонить. Дронго поднял трубку телефона и набрал ее номер. Послышались телефонные гудки и ее голос.

— Добрый вечер, — сказал он.

— Здравствуйте. — Она была явно удивлена телефонным звонком и только через секунду поняла, кто именно ей сразу перезвонил. — Это ты? Ты в Москве?

— Я услышал твой голос и решил сразу перезвонить, — сообщил он, — как у тебя дела? Как ты меня нашла? Спустя столько лет.

— Случайно, — призналась Ирина. — Дело в том, что я примерно десять лет назад была в Лондоне, в то время нашла статью с описанием твоих приключений. Что-то насчет расследования в Дартфорде. И там была твоя фотография. Я еще тогда удивилась. А потом узнала, что это действительно ты. Только не поняла, почему тебя называют этой непонятной кличкой. В Москве тебя тоже некоторые знают.

— Спасибо. Теперь буду знать, насколько я популярен.

— Не скромничай. Ты очень популярен. Я поэтому тебе и позвонила. Один мой давний приятель прилетел из Швейцарии. Он гражданин Германии, но живет под Цюрихом. Очень известный бизнесмен. Раньше он жил в Москве, а потом переехал в Швейцарию. Мы с ним познакомились много лет назад, когда он оканчивал МВТУ. А потом он уехал в Новосибирск. Он очень хочет с тобой увидеться. Говорит, что исключительно важное дело.

— Как его зовут?

— Чхеидзе. Давид Георгиевич Чхеидзе. Он руководитель крупной инвестиционной компании в Швейцарии. Очень известный бизнесмен. Спонсировал несколько кинофильмов, построил большой жилой комплекс в Инсбруке. Сейчас собирается работать в Москве.

— Чхеидзе, — повторил Дронго, вспоминая свою встречу в Швейцарии. — Он давно прилетел в Москву?

— Только два дня назад. У него произошло столько событий, что он хочет срочно встретиться с тобой. Именно с тобой.

— Почему со мной?

— Он слышал про твои невероятные способности. И ему нужна твоя помощь.

— Ясно. Кто ему про меня рассказал?

— Точно не знаю. Но когда он спросил у меня,

я тоже подтвердила, что знаю тебя. И начала срочно искать твой номер телефона. Ты даже не представляешь, как трудно было его найти...

— Это ты уже мне сказала. Когда он хочет со мной увидеться?

— Прямо сейчас, — ответила Ирина, — у него нет времени.

— Хорошо, — согласился Дронго, — пусть он мне сейчас перезвонит.

— Договорились. Спасибо тебе за помощь. Я думаю, что мы еще сможем с тобой увидеться. Завтра или послезавтра. Если ты захочешь.

— Обязательно, — несколько лицемерно согласился Дронго. Он подумал, во что она могла превратиться. Ведь прошло больше двадцати лет. Тогда она была худой, красивой, подтянутой молодой женщиной. Какой она стала теперь, даже страшно подумать. Ей должно быть сорок четыре. Или сорок пять. Некоторые женщины в таком возрасте сохраняют удивительную красоту. Некоторые стареют так, что становится страшно. И за себя в том числе...

Он положил трубку и стал ждать, когда ему позвонят. И почти сразу ему перезвонили. Словно Чхеидзе сидел у телефона и ждал звонка Ирины.

— Добрый вечер, — раздался неизвестный мужской голос.

Дронго улыбнулся. Неистребимый грузинский акцент. Незаметный, но присутствующий. Он знал эту характерную особенность грузин, говоривших по-русски. Как бы идеально грузин ни знал русский язык, если он начинал говорить на русском, то его акцент обязательно чувствовался, даже в случае его многолетнего проживания в России.

— Здравствуйте, с кем я говорю?

— Чхеидзе, — представился позвонивший, — Давид Георгиевич Чхеидзе. Вам звонила Ирина насчет меня...

— Правильно. Какое у вас ко мне дело?

— Я бы хотел срочно с вами увидеться.

— Никаких проблем. Мы можем увидеться завтра после двух.

— Нет, сегодня. У меня очень важное и срочное дело.

— Такое срочное, что его нельзя отложить на завтра?

— Нет, нельзя.

— Тогда приезжайте ко мне, — предложил Дронго.

— Так тоже не получится.

— Я не совсем вас понимаю.

— Мне нужно срочно с вами увидеться. Это очень важный вопрос. Поэтому я прошу вас прие-

41

хать ко мне в отель. Я живу в «Национале», в центре города.

— Я знаю, где находится «Националь», — усмехнулся Дронго, — но вам не кажется, что это не совсем правильно, когда вы вызываете меня к себе? Если у вас ко мне важное дело, то будет правильно, если вы приедете ко мне. Поймите меня правильно, это не моя блажь и не мое тщеславие. В отеле, где вы живете, могут быть установлены различные подслушивающие устройства. Или наш разговор могут услышать другие люди. Я уже не говорю о том, что мой визит может быть зафиксирован в самом отеле.

— Это все уже не так важно, — перебил его Чхеидзе, — все, что вы говорите, уже совсем не важно. Мне нужно, чтобы вы срочно приехали ко мне. Прямо сейчас. Я готов оплатить ваши расходы на дорогу и время, которое вы потратите на меня. Назовите любую сумму, сейчас для меня она не так важна, как вы думаете.

— Договорились, — холодно согласился Дронго, — вы оплатите бензин моему водителю. Сейчас я вызову его, и он отвезет меня на моей машине к вам. Туда и обратно мы потратим литров десять или пятнадцать. Умножьте на стоимость бензина в рублях и заплатите водителю. Согласны?

— Зачем вы меня оскорбляете? — обиделся

Давид Георгиевич. — Неужели вы возьмете у меня эти двести или триста рублей?

— А вы считаете, что не оскорбляете меня, предлагая оплатить мне бензин? Я такой же кавказский мужчина, как и вы, Чхеидзе. Хотя вы сейчас стали гражданином Германии. Но корни у нас общие.

— Наверное, — согласился Чхеидзе, — извините, если я вас невольно обидел. Так вы приедете ко мне?

— У вас действительно такое важное дело?

— Вы даже не представляете, в какую глупую ситуацию я попал. И как я понял, только вы можете мне помочь.

— Хорошо, — согласился Дронго, — я приеду к вам через час. В каком номере вы остановились?

Услышав номер апартаментов, в которых остановился приехавший гость, он положил трубку и, достав мобильный телефон, вызвал своего водителя, чтобы поехать к знакомому отелю. Водить машину он не любил. В салоне автомобиля почти никогда не включали музыку или радио, чтобы не отвлекать его от размышлений. В машине он либо спал, либо думал, что требовало возможной тишины.

Направляясь к отелю по Тверской, он все время думал, в чем причина столь неожиданного вызова. В некоторых московских газетах указывали, что Чхеидзе прилетел для подписания договора с известной московской строительной компанией. Неужели ему нужна какая-то консультация? Нет, для таких целей у него есть целый штат опытных юристов. Тогда зачем? Возможно, возникли какие-то неприятности, о которых он не может говорить по телефону? Но почему он не может приехать сам и все рассказать? Или ему угрожают и опасность так велика, что он не хочет выходить даже из номера своего отеля? Неужели у него нет обычной охраны? Ведь он не просто бизнесмен, а, судя по всему, человек, который имеет не одну сотню миллионов долларов. Обычно у таких бизнесменов есть и личная охрана, надежно отсекающая всех посторонних от тела своего шефа.

Нужно предполагать, что произошло нечто непредвиденное и срочное, если приехавший из Германии бизнесмен решил прибегнуть к помощи эксперта-аналитика. Самое поразительное в том, что если опасность столь велика, то он может просто уехать. С германским паспортом и своими миллионами он может уехать в любую точку земли. Но он предпочитает оставаться в Москве и искать себе в помощь частного детектива. Почему? В чем загадка?

До отеля они доехали минут за тридцать. Им

отчасти повезло, автомобильные пробки были не такими ужасными, какими они обычно бывали в этой части города по вечерам. Дронго вышел из салона автомобиля и вошел в отель. К нему сразу шагнула молодая женщина, одетая в строгий фиолетовый костюм. Он мгновенно оценил и безупречность покроя ее костюма, и легкий запах парфюма, исходивший от нее, уложенные волосы, легкий макияж, красивые голубые глаза, ее фигуру. Ей было не более тридцати лет.

— Вы мистер Дронго? — спросила она почти утвердительно, возможно, Ирина описала ей гостя.

— Да, с кем имею честь?

— Лиана Каравайджева, — сообщила она, — я личный секретарь мистера Чхеидзе. Он просил меня вас встретить.

Дронго заметил, что на них внимательно смотрели еще двое мужчин с запоминающейся внешностью. Очевидно, это были телохранители приехавшего гостя. Вместе с Лианой он прошел к кабине лифта. Двое мужчин проводили их взглядами.

— Это наши люди, — пояснила Лиана уже в кабине лифта, — мы наняли их для охраны.

— Разве ему что-то угрожает? — уточнил Дронго.

45

— Не знаю, — отвела глаза Лиана, — он сам вам все расскажет. Идемте за мной, пожалуйста.

Они вышли в коридор. Это был так называемый VIP-этаж, где находились апартаменты, в которых остановился Чхеидзе. Рядом в двух номерах жили Лиана и его личный телохранитель, прилетевший с ним из Швейцарии. У его дверей на стульях сидели еще двое охранников. Увидев незнакомца, они поднялись со стульев.

— Это со мной, — пояснила Лиана.

— Извините, — возразил один из охранников, — у нас приказ. Мы обязаны обыскивать всех, кто заходит в этот номер. Всех, без исключения.

Лиана взглянула на Дронго, словно спрашивая его разрешения. Тот с веселым видом пожал плечами. Пусть обыскивают, если хотят. Оружия с собой он обычно не носит, и ничего запрещенного они не найдут. За спиной появились еще двое охранников. Очевидно, они ходили по коридору. Один из охранников подошел к Дронго и профессионально ловко и быстро его обыскал. Затем сделал шаг назад.

— Можете проходить, — кивнул он, разрешая войти в апартаменты, и открыл дверь.

Лиана фыркнула и прошла первой. Дронго вошел следом.

— Извините, — сказала ему секретарь, — но у

наших охранников строгий приказ. Никого не пропускать. Никого, кроме меня и Вебера.

— А это кто? — поинтересовался Дронго.

— Сейчас вы его увидите. Он находится в самом номере, дежурит в холле. Вебер прилетел с нами из Цюриха, и Давид Георгиевич доверяет ему как никому другому.

— И еще вам, — весело напомнил Дронго.

— Да. Я тоже прилетела из Швейцарии, — сухо кивнула Лиана.

— Вы болгарка?

— Верно. Но мать у меня наполовину украинка. Поэтому я знаю не только болгарский, а еще русский и украинский. Я имею в виду из славянских языков. Но у меня гражданство Швейцарии.

— Не сомневаюсь, — кивнул Дронго, он огляделся: — И где ваш босс?

— Я здесь, — сказал Чхеидзе, входя в комнату вместе с мужчиной, который был такого же высокого роста, как и сам босс. По сломанным ушам Вебера было ясно, каким видом спорта он раньше занимался. Давид Георгиевич шагнул к ним и протянул руку гостю.

— Спасибо, что вы так быстро откликнулись на мое приглашение. Я хочу рассказать вам свою невероятную историю. Садитесь, пожалуйста. — Он показал на стулья, стоявшие у большого стола.

С любопытством разглядывая Чхеидзе, Дронго уселся на стул. Тот уселся напротив. Лиана взглянула на них и невольно улыбнулась. Они были похожи друг на друга. Но в этот момент они сидели мрачные, словно готовясь к поединку. И первым начал говорить Чхеидзе.

День первый.
ВОСПОМИНАНИЯ

Они поднялись из перехода в сюит, который был заказан для Чхеидзе. Все вместе. Охранники прикрывали Чхеидзе так, словно в отеле их уже ждал наемный убийца. Они слышали слова цыганки и были встревожены не меньше самого гостя. Хотя и не очень поверили этой странной женщине. В кабину лифта они вошли впятером. Двое охранников, Самойлов, Вебер и сам Давид Георгиевич. В апартаментах их уже ждала Лиана. Она заметила выражение лица своего шефа.

— Что случилось? — спросила она.

Вместо ответа Чхеидзе уселся на стул и молча уставился в одну точку. Самойлов нервно пересек комнату и сел рядом с ним. Вебер остался в коридоре. Он все равно не понимал русского языка и не мог принять участие в их разговоре. Остальные четверо телохранителей остались за дверями номера. Двое в коридоре, двое спустились к автомобилям.

— Что у вас случилось? — снова спросила Лиана. — Какие-то неприятности? Вы не хотите подписывать контракт? Наши юристы его просмотрели несколько раз. И Лев Лазаревич уже предупрежден о вашем приезде. Вы не хотите с ними работать? Или что-то другое?

Чхеидзе по-прежнему молчал.

— Встретили одну полоумную цыганку, — пояснил Самойлов, — не нужно было туда спускаться. Она наговорила разных глупостей.

— Что она сказала? — Лиана видела, что ее босс явно не в себе. Таким он никогда не был.

— Сумасшедшая дура, — в сердцах пояснил Альберт Аркадьевич, — увидела, что подошел богатый мужчина с телохранителями, и начала лицедействовать, дала уговорить себя погадать за тысячу двести евро. Можете себе представить? За такие деньги можно было нанять целый цыганский хор на весь вечер. Такое ощущение, что она загипнотизировала Давида Георгиевича. Я пытался ему помешать, но он не разрешил мне вмешиваться...

— Что она ему сказала? — поинтересовалась Лиана.

— Что сегодня он попадет в атомобильную ка-

тастрофу, но с ним ничего не случится, если он сядет впереди. Представляете, какая аферистка.
Любой водитель вам скажет, что впереди сидеть
гораздо более опасно, чем на заднем сиденье. Тем
более в бронированном джипе. Такая глупость.
И еще она сказала, что он проживет после этого
только два дня. И никогда больше не вернется в
Москву, так как через два дня его убьют. Вот и
верь после этого гадалкам. Может спороть любую
глупость, лишь бы ей заплатили деньги. И как на-
турально играла...

— Она не играла, — задумчиво перебил его Давид Георгиевич.

— И вы верите этой полуграмотной гадалке? — изумилась Лиана. — Послушайте, Давид Георгиевич, вы же такой разумный человек. Я работаю у вас четыре года и не знала, что вы верите
разным гадалкам, шаманам или астрологам. Вы
действительно верите в ее предсказания? Она вас
увидела и за несколько секунд сумела угадать ваше будущее? Но вы же сами всегда смеялись надо
мной, когда я читала гороскопы. А теперь решили
поверить в эту невежественную цыганку?

— Она однажды уже предсказала мне двенадцать лет невозвращения, — наконец выдавил из
себя Чхеидзе, — и оказалась права. Я не помнил

об этом, но именно столько лет я не приезжал в Москву...

— Обычное совпадение, — попыталась возразить Лиана.

— Возможно, — согласился Давид Георгиевич, — но очень неприятное совпадение. А вдруг и на этот раз она оказалась права? Или снова произойдет совпадение? Ты не считаешь, что я должен как-то предостеречься?

— Вы можете поехать впереди, раз вам так посоветовали, — улыбнулась Лиана, — но я бы на вашем месте принципиально поехала бы на своем обычном месте, наперекор судьбе.

— Правильно, — обрадовался Самойлов. Он видел, как подействовало предсказание цыганки на их гостя, и всеми силами старался отвлечь его от мрачных мыслей.

— По-моему, более логично не садиться на свое место, а просто проверить слова этой женщины, — предложил Чхеидзе.

— Сделайте, как вы хотите, — согласилась Лиана, — только не нужно об этом столько думать. Обычный бред цыганки, которая хотела получить больше денег.

— Может, это была не та цыганка? — вмешался Самойлов. — Вспомните, что вы сами назвали ее имя. Она только подтвердила, что ее зовут Виолеттой. Та старуха давно умерла, а это была совсем другая женщина, которая использовала ваше чувство ностальгии. И сыграла на этом. Мне она тоже нагадала карьерный рост. Сказала, что сначала у меня все будет хорошо, а потом плохо. Это все равно что сказать: сначала ты будешь молодым и здоровым, а потом состаришься и умрешь. Не нужно им верить.

— Давайте закончим этот разговор, — предложил сам Чхеидзе, — ничего уже изменить нельзя. Я переоденусь, и мы поедем в ваш офис посмотреть подготовленные договоры. Сколько у нас осталось времени?

— Еще полтора часа, — ответил Альберт Аркадьевич.

— В таком случае я пойду переодеваться. Вы можете подождать меня здесь. Лиана, когда ты будешь готова?

— Через полчаса, — ответила она, поднимаясь со стула.

— А я подожду внизу, в баре, — поднялся следом Самойлов.

Они вышли из номера. Вебер взглянул на хозяина.

— Через полчаса мы поедем, — сказал по-немецки Чхеидзе, — можешь немного отдохнуть у себя в номере.

— Что-нибудь случилось? — осведомился Вебер. — Я ничего не понял. Вы разговаривали с этой цыганкой, потом дали ей денег. Она что-то вам сказала?

— Ничего. Все нормально. Можешь отдохнуть. Не беспокойся. Через полчаса мы поедем. Будь готов к поездке.

Вебер кивнул и вышел, мягко закрыв за собой дверь. Давид Георгиевич повернулся и пошел в спальную комнату, где уже были приготовлены его костюмы. Он разделся, подошел к зеркалу, задумчиво посмотрел на себя. Неужели он ошибся и это действительно была совсем другая цыганка? Как могло так произойти, что она была на том же самом месте спустя двенадцать лет? Или подобных совпадений вообще не бывает? Самойлов прав. Ведь свое имя женщина ему так и не сказала. А только подтвердила, что ее действительно зовут Виолеттой. Какая глупость. Он — современный человек с высшим образованием — верит в такую чушь? Двенадцать лет — это просто совпадение. Он мог прилететь в Москву и пять лет назад, и три года назад, когда оформлял свою сделку с недвижимостью. Но тогда не прилетел. Почему он тогда не прилетел? Чхеидзе вспомнил события трехлетней давности. Тогда он заболел. Да, тогда он заболел. Простудился в Норвегии, куда они ездили кататься на лыжах. Он свалился, ударился, простудился. Врачи сказали, что у него были осложнения на почках, и его вернули в Цюрих, где он и провел несколько месяцев в своем доме. Лиана тогда все время ухаживала за ним, лучше любой сиделки. Он в полной мере оценил тогда ее личные качества. В Москву он не приезжал, но в Тбилиси он несколько раз летал. Четыре или пять раз. Тогда еще в Грузии правил Шеварднадзе. Потом пришел Саакашвили. Да, в Грузию он летал почти каждый год. Выходит, цыганка была не совсем права. Он ведь возвращался, хотя и не в Москву. Формально Россия и Грузия уже два самостоятельных государства, но для него они по-прежнему были частями одного пространства, в котором прошли его детство и молодость.

Значит, такая судьба. Цыганка не могла знать про Норвегию, возможное падение, его осложнение. Но она точно сказала про двенадцать лет. А может, он путает? Может, она тогда сказала «двадцать»? Нет, он не путает. Именно двенадцать лет. Она так ему и сказала. Это было в предпоследний день, когда он собирался уезжать. Он улетал в Германию, и все вещи были давно отправлены в Мюнхен, где он должен был остановиться на первых порах. Его тогда все время сопровождали трое сотрудников частной охраны. Они как раз проезжали мимо гостиницы «Москва», когда он неожиданно попросил остановить машину и спустился вниз. Никто не знал, что именно он замышляет, и он сам не предполагал, что будет внизу, в этом переходе. Поэтому никто не смог бы искусственно подстроить подобную ситуацию. Они спустились вниз, и он увидел цыганку. Когда-то старая цыганка в Тбилиси нагадала ему, что он поступит в московский институт, где готовят летунов. Она так тогда и сказала: «летунов». Позже он поступил в МВТУ имени Баумана, в котором действительно учились многие космонавты. Но это могло быть совпадением. Однако цыганка в Тбилиси ему справедливо предсказала, что он поступит в институт. Хотя то предсказание можно было легко объяснить. Тбилисская цыганка обычно «дежурила» неподалеку от школы с математическим уклоном и могла знать, кто именно учится в этой школе. Поэтому предсказать успех одному из лучших выпускников школы было несложно.

Но двенадцать лет назад он сам спустился в переход и нашел Виолетту, которая предсказала ему долгое отсутствие. Он тогда еще улыбнулся, решив, что это очередной розыгрыш цыганки. И дал ей десять долларов. На следующий день он улетел в Германию.

Давид Георгиевич прошел в ванную комнату, чтобы умыться. Зачем он думает об этих глупых предсказаниях? Нужно успокоиться и забыть обо всем. Нужно просто успокоиться и не придавать значения словам цыганки. Он взял полотенце и вытер лицо. Пошел переодеваться, стараясь отогнать мрачные мысли. Через десять минут он был уже готов к выходу. Присев на стул, он поправил галстук. Сегодня ему совсем не нужны эти глупые сомнения. Он должен подписать очень крупный договор на инвестиции в московский строительный бизнес. Сумма очень большая даже для него. Чхеидзе вспомнил про свой договор. Юристы работали над ним более года. Нельзя было сегодня спускаться в этот переход. Нужно было отложить свидание с этой цыганкой на завтра. Но кто мог подумать, что она скажет ему подобную новость?

Что ему делать? Прислушаться к словам цыганки и пересесть на другое место? О ее предсказании уже знают все. И Самойлов, и Лиана, и остальные телохранители. Как он будет выглядеть в их глазах, если вдруг решит поменять свое место? Как настоящий трус, который к тому же поверил в предсказание необразованной цыганки. В общем, он будет выглядеть как трус и дурак. А если не поменяет? Если он решится сесть на свое прежнее место? Что тогда? Тогда он может погибнуть. Но это в том случае, если он поверит в мистическое предсказание цыганки. Только в этом случае. У них джип с бронированными стеклами, которые выдерживают даже выстрелы из автомата. И рядом будет Вебер. И вторая машина. Нет, он просто обязан сесть на свое место. Хотя бы из принципа, чтобы доказать свое пренебрежение к предсказаниям цыганки. Он всегда был материалистом и агностиком, никогда не верил в потусторонние силы, в разные аномальные явления, в НЛО и прочую чепуху. А теперь выходит, что он поверил. И не нужно демонстрировать свое истинное отношение к словам цыганки перед Лианой и перед Самойловым, который наверняка расскажет всем остальным о его поведении.

Чхеидзе решительно поднялся. В конце концов он кавказский мужчина и не может позволить себе потерять лицо. И не может выглядеть растерянным трусом или паникером перед всеми остальными. Какие деловые отношения у него будут с московскими партнерами, если они узнают о его глупом поведении?

Они решат, что он либо дурак, либо трус. В обоих случаях это грозит большими финансовыми потерями. Нужно просто не обращать внимания на эти предсказания. Нужно показать всем, что он не верит в подобные глупые разговоры. Так будет правильно.

Он поправил галстук и пошел к выходу. Уже через несколько минут он спускался вниз в кабине лифта вместе с Лианой и Вебером. Охранник был молчалив и сосредоточен. Лиана испытывающе взглянула на своего босса.

— Как вы себя чувствуете?

— Неплохо. Во всяком случае, немного успокоился. Не нужно было мне спускаться вниз.

— Это было ваше решение, — напомнила Лиана.

— Я не об этом. Нужно было спуститься туда одному. Или с Вебером. Чтобы остальные ничего не знали. Но теперь уже глупо сожалеть.

— Что вы решили?

— А как ты думаешь?

— Сядете на свое место, — уверенно сказала Лиана, — чтобы все видели, насколько вы безразличны к словам цыганки. И продемонстрируете всем свое отношение к мистике, чтобы Самойлов рассказал об этом сотрудникам своей компании.

— Молодец, — похвалил ее Чхеидзе, — мне иногда кажется, что ты знаешь меня даже немного лучше, чем я сам.

Внизу, в холле, их ждал Самойлов в сопровождении двух охранников.

— Нам уже звонили, — нетерпеливо сообщил Альберт Аркадьевич, — мы должны срочно ехать. Пойдемте.

Они подошли к автомобилям. Самойлов замер. Все остальные ждали, куда именно сядет гость. Только ничего не подозревающий Вебер подошел к переднему сиденью и открыл дверцы заднего, ожидая, когда туда сядет его шеф. Лиана остановилась у другого автомобиля, ожидая, что сделает Чхеидзе. Тот улыбнулся ей и спокойно сел на свое прежнее место, на заднее сиденье, за Вебером. Тот захлопнул дверцу и уселся на переднее сиденье. Все охранники заулыбались. Им понравился поступок приехавшего гостя, не поверившего цыганке и демонстрирующего свое мужество. Самойлов уселся рядом.

— Быстрее, — приказал он, — по машинам, ребята.

Оба джипа повернули в сторону Тверской. Давид Георгиевич улыбался. Он подумал, что принял верное решение. Откуда ему было знать, что случится с ними уже сегодня вечером.

День третий.
РЕАЛЬНОСТЬ

Вошедший в комнату Чхеидзе смотрел прямо в глаза Дронго. Он не мог не заметить, что они похожи. Чхеидзе был чуть ниже ростом и имел менее развитый плечевой пояс, но оба были неуловимо похожи друг на друга, как бывают иногда похожи двоюродные или троюродные братья. Они расположились на стульях друг против друга. Вебер тактично вышел в коридор. Лиана взглянула на своего босса, ожидая его указаний. Тот, помедлив несколько секунд, кивнул ей, разрешая уйти. Она вышла следом, закрыв за собой дверь.

— Вы хотели меня видеть, — напомнил Дронго, — что у вас произошло?

Он видел заросшее щетиной лицо своего собеседника и его возбужденные глаза. Было понятно, что события последних дней так или иначе повлияли на самочувствие приехавшего гостя.

— Я даже не знаю, с чего начать, — вздохнул Чхеидзе, — столько всего случилось. Даже трудно сообразить. Нужно говорить по порядку, чтобы вы все поняли. Но как говорить, если я сам ничего не понимаю.

— Если вы будете говорить подобными загадками, то я тоже ничего не пойму, — заметил Дронго, — поэтому постарайтесь успокоиться и объяснить мне, зачем я вам так срочно понадобился.

— Дело в том, что меня хотят убить, — сообщил Давид Георгиевич.

— Интересное заявление, — вежливо заметил Дронго, — кто и почему?

60

— Понятия не имею, кто и зачем меня хочет убить. И вообще кому я могу мешать.

— Тогда кто вам сообщил, что вас хотят убить?

— Цыганка в переходе под нашим отелем.

— Если это шутка, то неудачная. А если ее к вам послали с этим известием, то выбрали явно неудачного связного.

— Я не шучу, — рассердился Чхеидзе, — я позвал вас не для того, чтобы шутить. Все очень серьезно, мистер Дронго. Так, кажется, вас называют.

— Именно так. Значит, вы спускаетесь в переход, и вдруг цыганка говорит вам, что вас убьют. И поэтому вы меня позвали? Вам не кажется, что все это несерьезно?

— Очень серьезно, — упрямо возразил Чхеидзе, — я постараюсь вам объяснить, а вы меня выслушайте. Дело в том, что я уехал отсюда двенадцать лет назад. У меня были некоторые неприятности, и я решил покинуть Москву. Мой бизнес явно нервировал некоторых людей в этом городе. Все хотели прибрать его к рукам. Я был вице-президентом компании, когда убили нашего президента, потом подложили бомбу в мой офис. К счастью, никто не пострадал. Мне даже показалось, что они сделали это намеренно. Ведь в шесть часов утра в офисе гарантированно не бывает даже уборщиц.

Я решил не ждать следующих объяснений. Продал свой бизнес и перевел деньги в Германию. Но за день до выезда я был в этом переходе, вот здесь, внизу. И там встретил пожилую цыганку. Ее звали Виолетта. Она нагадала мне, что целых двенадцать лет я не смогу вернуться обратно. И все так получилось. Ровно двенадцать лет меня здесь не было. Я даже однажды уже взял билеты в Москву, но не сумел приехать. Сильно простудился в Норвегии, упал, ударился. И не смог прилететь в Москву. Вот так и прошло ровно двенадцать лет. Я об этом даже забыл. Но когда прилетел в Москву, вдруг все вспомнил. И решил снова спуститься в переход, ведь наш отель находится как раз здесь, рядом. И снова встретил эту цыганку. Можете себе представить?

— Не вижу ничего необычного, — ответил Дронго, — возможно, это профессионалка, которая работает на своем месте, специально закрепленном за нею. Вы же знаете, что у этих людей существует строгий порядок при распределении. Если она гадалка и ее место в центре города приносит прибыль, то она обязательно будет работать именно здесь. Хотя двенадцать лет — срок необычно долгий даже для гадалки-цыганки. Но в жизни все возможно...

— Я спросил, как ее зовут, и она мне не ответила. Тогда я сам назвал ей имя Виолетта, и она ответила, что ее именно так зовут...

— Вы допустили ошибку. Она могла откликнуться и на любое другое имя, которое вы назвали.

— Согласен, это была моя ошибка.

— Может, она и не Виолетта. И не та самая цыганка, с которой вы встречались двенадцать лет назад.

— Не знаю. Они все друг на друга похожи. В таком же цветастом платке. Полная. Чуть ниже среднего роста, говорит с сильным акцентом.

— Это не характерные признаки. Они все немного полноватые, среднего роста, одинаково одетые и разговаривающие с характерным цыганским напевом. Может, вы встретили уже другую женщину?

— Не знаю. Теперь я ни в чем не уверен...

— Что было дальше?

— Я подошел к ней и попросил погадать мне по руке. Она посмотрела на мою ладонь и явно испугалась. Или сделала вид, что испугалась. Потом попросила меня не садиться в машину на то место, где я всегда сижу. И сказала, что тогда я смогу выиграть еще два дня. А потом меня убьют.

— И вы поверили?

— Она не хотела мне ничего говорить. Я заплатил ей тысячу двести евро, чтобы она мне хоть что-то сказала. И тогда она выдала мне эту информацию.

— Вы много лет жили именно в Швейцарии?

— Нет. Еще в Германии, Италии. Несколько месяцев в году провожу в Лос-Анджелесе. Там у меня тоже небольшой дом.

— Понятно. И цыган в ваших краях вы, конечно, не видели?

— Разумеется, не видел. А почему вы спрашиваете?

— Дело в том, что для постороннего человека представители чужой этнической или расовой группы всегда на одно лицо. Если вы увидите несколько негров или китайцев, вы не сможете их отличить друг от друга. Они для вас все на одно лицо. А вот пятеро грузин будут для вас исключительно разными людьми. Хотя для среднего китайца или японца они все на одно лицо. Даже в Москве часто путают кавказцев, принимая всех за одну нацию. Вы ведь никогда не спутаете грузина с армянином или азербайджанцем?

— Это я и без вас понимаю, — кивнул Давид

Георгиевич, — но дело не в самой цыганке. А в тех предсказаниях, которые она произнесла. Именно поэтому мне и нужно было с вами срочно встретиться. Я ведь достаточно разумный человек, мистер Дронго. И если бы не первое совпадение, я бы никогда не поверил в другие подобные совпадения. Это уже мистика, какая-то ненаучная чепуха, в которую человек достаточно трезвый верить просто не может. Но это как раз тот случай, когда я не могу не верить самому себе. И в обычные совпадения мне тоже трудно поверить. Может, действительно эта цыганка умеет предсказывать будущее. А может, она умеет читать по нашим ладоням. Ведь говорят, что весь опыт человеческой жизни запечатлен на отпечатках наших ладоней. Просто мы пока не научились их правильно читать. А цыгане умеют их не только читать, но и интерпретировать.

— Насколько я помню, вы оканчивали МВТУ имени Баумана? — неожиданно сказал Дронго.

— Да, — изумленно кивнул Чхеидзе, — откуда вы знаете?

— Читал вашу биографию. Мы однажды с вами встречались в Цюрихе, месяцев шесть назад. Я как раз обедал в «Долдер Гранд-отеле», когда вы появились там с шумной компанией. И не обратить на вас внимание было просто невозможно.

— Я вас не помню, — признался Давид Георгиевич.

— Рядом с вами была такая красивая итальянская актриса, что я бы очень удивился, если бы вы меня запомнили. Мы сидели в углу, стараясь не привлекать к себе внимания. А вы устроились так, чтобы смотреть на Альпы, прямо у окна.

— Верно. Мы там часто ужинаем. Вы тоже там часто останавливались?

— Только один раз. Но дело не в этом. Я тогда обратил на вас внимание и ознакомился с вашей биографией. Человек, закончивший МВТУ и ставший мультимиллионером, не может верить гадалкам или предсказателям. Для этого вы слишком рациональны и прагматичны. Я вообще не встречал в своей жизни миллионеров, верящих гадалкам. Хотя я знаю, что есть политики, которые полагаются на астрологов.

— И вы тоже не верите? — спросил Чхеидзе.

— Не знаю. Если честно, то стараюсь не верить. Но лет пятнадцать назад у меня была очень интересная встреча с одним индийским предсказателем, до которого мне пришлось добираться два дня. Он долго исследовал мои ладони, потом осмотрел ступни ног, мои глаза, мое тело. И затем объявил, что будет рассказывать мне мое прошлое. Можете не поверить, но он рассказывал мне такие вещи, о которых не знали даже мои родители. А потом он сказал: «Если кто-то захочет открыть тебе будущее, попроси его рассказать твое прошлое. Ведь прошлое увидеть гораздо легче, оно оставляет след и на твоем теле, и в твоей душе». Вот он и рассказал мне прошлое. А потом начал рассказывать будущее. Многое я запомнил...

— Ну и что?

— Почти все совпало, — невозмутимо ответил Дронго, — возможно, что это просто совпадения, но многое совпало в деталях. И хотя я по-прежнему не верю в мистику, остается признать, что есть нечто недоступное моему пониманию.

— Вот видите, — обрадовался Чхеидзе, — поэтому я тоже сначала не верил. Даже назло гадалке сел в машину на свое место, чтобы показать всем, насколько я не верю и не боюсь ее предсказаний.

— И ничего не произошло?

— Если бы, — вздохнул Давид Георгиевич. — Тогда я не позвал бы вас к себе и не стал бы вам ничего рассказывать. Но все произошло так, как она сказала. Второе совпадение подряд. Вот что мне кажется почти невозможным. И если совпали два предсказания, почему бы не совпасть и третьему. Она предупредила меня, что я не смогу спастись, даже уехав отсюда. И дала мне еще два дня.

Сегодня ночью вторые сутки закончатся. И тогда кто-то должен сюда прийти и убить меня. Вы знаете, что ко мне не пускают сейчас никого. Даже еду и воду мне покупает Лиана, которой я доверяю. Либо она, либо Вебер. Но вторые сутки заканчиваются, и значит, у меня не остается никаких шансов. Я заказал на завтра билет, это напряженное ожидание может свести меня с ума. Думаю, что мне нужно просто улететь отсюда.

— И вы не хотите снова спуститься в переход и поговорить с этой цыганкой? Может, она скорректирует свои предсказания? — стараясь не иронизировать, спросил Дронго.

Чхеидзе нахмурился, словно уловив возможную насмешку.

— Нет, — сказал он, — я не могу ее найти. Мы уже даже обращались в милицию, нашли участкового. Я предложил тысячу долларов, чтобы ее нашли, но никто и никогда о ней не слышал. Хорошо еще, что ее видели вместе со мной еще несколько человек, в том числе и мой личный телохранитель. Она словно провалилась сквозь землю, куда-то туда, в метро или в комплекс под Манежной площадью.

— Подождите, — прервал его Дронго, — вы сказали, что сели на свое место. И, судя по тому, что вы со мной разговариваете, с вами ничего не произошло. Тогда почему вы решили, что ее второе предсказание сбылось?

— Оно сбылось, — вздохнул Чхеидзе, — в том-то все и дело, что оно сбылось. Иначе я бы вас не позвал. Сейчас я вам все расскажу.

День первый.
ВОСПОМИНАНИЯ

Когда они наконец тронулись, Самойлов взглянул на сидевшего рядом с ним гостя.

— Вы правильно решили, — кивнул он, — не нужно верить разным гадалкам. Она может придумать такую историю, после которой вообще нужно вешаться. Поэтому самое верное — не обращать внимания на такие предсказания. И ничего страшного с нами не случится. Нас уже ждет Сергей Николаевич. Я ему позвонил и сказал, что мы скоро приедем. Наш офис находится на Остоженке, если не будет автомобильных пробок, то мы доедем довольно быстро.

— Я помню, — кивнул Чхеидзе, — вы ведь присылали мне факсы с изображением вашего здания на Остоженке. Я еще тогда обратил внимание на ваши проспекты.

— У нас уже все готово, — сообщил Самойлов, — сразу после подписания поедем в ресторан обмывать наш новый договор. Мы долго выбирали, в какой ресторан лучше пойти. В грузинский ехать неудобно, вы лучше знаете свою кухню, со средиземноморской тоже не хотели, вы ведь живете в Швейцарии. Решили выбрать наш ресторан с русской кухней. Поедем за город. В «Царскую охоту». Очень неплохой ресторан. Вы, наверно, о нем слышали.

— Слышал, — кивнул Давид Георгиевич, — но дело не в ресторане. Я думаю, нам нужно серьезно переговорить с руководством вашей компании. Мы ведь начинаем работу, рассчитанную на несколько лет. Если все будет нормально, моя компания сможет инвестировать в ваш бизнес около ста миллионов долларов. А это очень большие деньги, во всяком случае для меня.

— Для нас тоже, — весело подтвердил Самойлов, — я только хотел узнать насчет ваших планов. У вас есть какие-нибудь пожелания или планы? Может, вы хотите с кем-то увидеться? Куда-то поехать?

— Я уже увиделся со своей «старой знакомой», — улыбнулся Чхеидзе, — и ничего хорошего из этого не вышло. Нет. У меня нет никаких определенных планов. Конечно, хочется немного поездить по городу, посмотреть на размах вашего жилищного строительства. Но это можно сделать завтра. А сегодня я позвоню некоторым своим старым друзьям. Давно хочу с ними увидеться.

— Как хотите. Обе машины с охранниками будут в вашем распоряжении, — сообщил Самойлов, — если понадобится, мы найдем еще людей. Сколько нужно. Насчет этого не беспокойтесь. Завтра вечером у нас встреча с некоторыми нашими соинвесторами. Будут руководители двух крупных российских банков. Они тоже хотят с вами познакомиться.

— Хорошо, — кивнул Чхеидзе.

Потом ничего неожиданного не произошло, и он даже немного успокоился, забыв о предсказании цыганки. Они приехали на Остоженку, где их ждал руководитель компании, с которым Чхеидзе был уже знаком. Сергей Николаевич Касаткин несколько раз прилетал к нему в Цюрих на переговоры. Касаткину было за пятьдесят, и он работал еще в Управлении капитального строительства города Москвы до девяносто первого года. Это был опытный специалист, работавший в строительном бизнесе уже больше тридцати лет. Недоброжелатели уверяли, что у него были особые отношения с московским руководством, за счет чего он и получал лучшие земли под постройки своих зданий. И большие кредиты в российских банках.

В офисе Касаткина все было монументально и целесообразно, как и полагается в компаниях такого профиля. В огромном кабинете уже все было готово для подписания необходимых документов, над которыми столько работали юристы с обеих сторон. Кроме самого Касаткина здесь были и представители юридических фирм, разрабатывающих договора об инвестициях. Со стороны Касаткина их представлял Халфин, а со стороны Чхеидзе — Лев Лазаревич Файгельман, который работал с юристами из Германии и Швейцарии уже много лет. Файгельман и Халфин были похожи друг на друга. Оба среднего роста, упитанные, с мясистыми щеками, немного выпученными глазами и короткими руками. Оба считались лучшими юристами Москвы и давно знали друг друга. Поэтому последние согласования шли довольно быстро, им не требовалось много времени, чтобы уточнять или согласовывать любой пункт, вызывающий у них разногласия. Они работали как два настоящих профессионала, уважающих друг друга. Оба знали, какие моменты нужно уточнять, какие нужно обходить, а на какие обращать внимание.

В кабинете было довольно много людей. Вместе с Файгельманом и Халфиным приехали их помощники. Кроме самого Касаткина здесь были еще два других вице-президента. Чхеидзе пришел не один. Он привел Лиану, которая просмотрела все документы. Вебер остался в приемной. Давид Георгиевич обратил внимание на девушку, которая помогала Касаткину готовить документы, передавала их Лиане, пытаясь явно услужить и понравиться гостье. Очевидно, она работала личным секретарем президента компании или была его помощником. Девушка была высокого роста, у нее были выступающие скулы, серые глаза, немного удлиненный нос с горбинкой, придававшей ей особое очарование, и пухлые губы. Волосы были выкрашены в своеобразный красный цвет и пострижены в каре. На ней был строгий деловой костюм, приталенный пиджак и юбка, заканчивающаяся гораздо выше колен, что очень выгодно подчеркивало ее длинные ноги. Чхеидзе даже подумал, что мог видеть эту девушку где-то в другом месте. На вид ей было лет двадцать пять, не больше. Он вспомнил, что уже двенадцать лет не был в Москве. Значит, когда он отсюда уезжал, она еще училась в школе, и поэтому он не мог ее видеть ни при каких обстоятельствах.

Чхеидзе грустно улыбнулся. Он начинает забывать, что ему уже далеко за сорок. Девушка подошла к нему, и он почувствовал аромат ее парфюма. Определить было трудно, но он подумал, что ей подходит этот цветочный запах. У девочки хороший вкус и, видимо, неплохие гонорары, судя по ее часикам с бриллиантами. Он посмотрел на Касаткина. Наверное, она пользуется благосклонностью своего шефа. Впрочем, в этом нет ничего необычного. Ведь Лиана получает ровно в полтора раза больше, чем Магда, хотя последняя просто незаменима в работе. Но у Лианы сдержанная, европейская красота стильной деловой женщины. А у Тамары вызывающая сексуальная красота женщины-вамп. Он улыбнулся, обратив внимание, что Касаткин назвал ее Тамарой. И тихо осведомился у девушки:

— Вы давно здесь работаете?

— Уже второй год, — ответила она, улыбнувшись ему в ответ. Улыбка у нее была красивая.

— А в Швейцарии вы были? — Он подумал, что Касаткин мог взять ее с собой на переговоры и, возможно, они виделись там, в Цюрихе. Или на каком-нибудь горнолыжном курорте.

— Нет, — ответила она очень тихо, бросив быстрый взгляд на своего босса, который в это время разговаривал с Самойловым, — никогда не была. Но с удовольствием бы приехала, — добавила она, облизнув губы.

— Договорились, — весело согласился Чхеидзе, — я остановился в «Национале». Если у вас будет время, вы можете мне позвонить. Я живу... — Он хотел назвать номер своих апартаментов, но она перебила его.

— Я знаю, — быстро сказала Тамара, — я сама заказывала вам эти апартаменты. Они вам понравились?

— Очень. Спасибо за вашу заботу.

Он заметил, как Лиана прислушивается к разговору, и повернулся к столу. Все было почти готово. Теперь следовало подписать документы. Сам процесс подписания занял не более десяти минут. Все было оформлено, и две девушки внесли подносы, на которых были бокалы с шампанским. Это был «Дом Периньон» пятьдесят шестого года. Касаткин решил выбрать именно этот напиток, чтобы подчеркнуть серьезность и важность их намерений. Чхеидзе, как и всякий грузин, любил хорошее вино и хорошее шампанское. Хотя за время учебы в Москве он не отказывался и от водки, а в Швейцарии пристрастился к выдержанному коньяку. Но шампанское ему понравилось. И все стало казаться не таким страшным, как казалось раньше.

— Поедем в ресторан, — предложил Касаткин, — моя машина нас уже ждет. Идемте. Мы всех приглашаем. Для нас приготовили специальный ужин.

— Я не смогу, — виновато сказал Файгельман, — у меня повышенная кислотность. Извините меня.

— Я тоже не смогу, — сразу как эхо повторил Халфин.

— А у вас, наверно, язва? — рассмеялся Чхеидзе.

— Нет. Диабет. Я стараюсь есть в строго установленное время и не перехожу пока на уколы.

— Наши юристы нас бросили, — сказал Давид Георгиевич, обращаясь к своему партнеру, — может, с нами поедут хотя бы наши женщины?

— Конечно, поедут, — сразу ответил Касаткин, — Тамара, ты едешь с нами.

Чхеидзе улыбнулся. Его хитрость почти удалась. Они вышли из кабинета в сопровождении телохранителей и спустились вниз. Там уже стоял большой «БМВ» седьмой модели, принадлежавший Касаткину. Он стоял, обращенный на запад, левой стороной припаркованный к зданию фирмы. Касаткин показал на машину, Вебер открыл дверь. Чхеидзе уселся сразу за водителем. Сергей Николаевич обошел машину и сел рядом. На правое заднее сиденье. Чхеидзе подумал, что нужно поменяться из принципа, но решил не привлекать к себе внимания ненужными жестами. Иначе Самойлов подумает, что он до сих пор помнит предсказание этой цыганки. Вебер уселся на переднем сиденье. Все остальные разместились в других машинах. Давид Георгиевич заметил, что Тамара оказалась в одной машине с Лианой, и подумал, что это очень некстати. Но изменить уже что-либо было невозможно. Колонна из пяти машин тронулась в путь.

— Она давно у вас работает? — поинтересовался Чхеидзе.

— Тамара? Только второй год. Толковая и умная девочка. Она юрист по профессии, получила диплом с отличием. Такая целеустремленная и знающая себе цену девочка. Очень активная и напористая. Своего не упустит. Мы сначала взяли ее обычным стажером, но за год она стала моим личным секретарем. Все замечает, все запоминает. Отличная память. И знает несколько иностранных языков. В наше время молодые женщины думают только о том, как бы удачно выскочить замуж. А эта мечтает о карьере, — пояснил Касаткин.

Чхеидзе не стал спрашивать, спит ли она со своим шефом. Ему было неудобно. В конце концов Лиана тоже очень красивая женщина, но Касаткин не спрашивает его об их отношениях. И правильно делает.

— Она молодая, но с характером, — почему-то

добавил Касаткин, — легко быть независимой и смелой, когда у тебя большие возможности. Но она молодец, твердо знает, что хочет, и уверенно идет к своей цели.

— Сейчас такая молодежь, — вежливо согласился Давид Георгиевич.

— Самойлов сказал мне, что вы успели пообщаться с какой-то цыганкой и она испортила вам сегодня настроение, — сообщил Сергей Николаевич. — Неужели вы можете верить этим гадалкам?

— Я не верю. Но иногда их предсказания сбываются.

— Случайные совпадения, — весело заметил Касаткин, — между прочим, если вам нравятся цыгане, мы можем пригласить их хор, чтобы для нас спели. Даже с живым медведем.

— Не нужно, — ответил Давид Георгиевич, — постараюсь обойтись без них. Когда вы думаете начать строительство нового отеля?

— Через два месяца. Нужно согласовать все вопросы с московскими властями. Вы слышали, что произошло с гостиницей «Россия»?

— Слышал.

— Вот поэтому нужно все тщательно готовить. Но я думаю, что Халфин и Файгельман нас не подведут. Это большие специалисты своего дела. Они все оформят как полагается.

— Не сомневаюсь. Какой объем инвестиций вы полагаете привлечь для строительства отеля?

— Около двухсот миллионов долларов. Половину даете вы, половину выделяем мы. Или наши соинвесторы. Банки готовы участвовать в нашем проекте. Завтра нам предстоит важная деловая встреча.

— Мне уже сказали...

Они продолжали разговаривать, когда машины выехали за город. И не заметили, как грузовик, внезапно оказавшийся перед ними, вдруг резко свернул в сторону. Очевидно, у водителя отказали тормоза, и он на полном ходу врезался в их автомобиль. Как раз в правую сторону, где должен был сидеть сам Давид Георгиевич Чхеидзе. Но вместо него там оказался Касаткин. Удар был такой силы, что машину словно подбросило. У Чхеидзе оказались разорванными брюки и пиджак. Он получил сильную травму ноги и правой руки. Больше всех досталось Касаткину. Удар был такой силы, что он погиб почти мгновенно, и его обмякшее тело прижало гостя к левой задней дверце машины. Самое поразительное, что сидевшие впереди водитель и Вебер почти не пострадали. Удар пришелся на заднюю правую часть «БМВ». Чхеидзе почувствовал боль в правой ноге и застонал. «Только не хватает, чтобы я сломал себе ногу», — подумал он с огорчением. Вокруг уже суетились люди, пытавшиеся вытащить его из покореженного автомобиля. Он повертел шеей и подумал, что ему повезло. Скосил глаза на неподвижное тело Касаткина. Голова его была разбита, вокруг проломленного виска чернела кровь.

— Только этого нам не хватало, — с огорчением произнес Чхеидзе. Он попытался отодвинуть от себя тело несчастного Касаткина, но ему не удалось даже пошевелиться. Дверь тоже не открывалась. Ее сильно заклинило. Вебер уже пытался ее открыть. Рядом кричали люди. Мгновенно образовалась пробка, остальные четыре автомобиля практически перекрыли дорогу, и все люди из них поспешили на помощь пострадавшим.

И только когда рядом появились машины милиции и «Скорой помощи», Чхеидзе вдруг вспомнил про цыганку. И с ужасом посмотрел на мертвое тело Касаткина, прижимавшее его к дверце автомобиля. Значит, она была права. Если бы он оказался на этом месте, то сейчас бы он прижимал к дверце живого Касаткина. А если уселся бы на место Вебера, то с ним ничего бы не случилось. Откуда она могла об этом узнать? Что вообще происходит? Неужели она могла предвидеть, что у этого грузовика откажут вдруг тормоза?

Когда его вытащили наконец из машины, он был весь в крови своего партнера. Несмотря на протесты Чхеидзе, его уложили в машину «Скорой помощи» и отправили в больницу. По дороге в больницу он вспомнил и продолжение ее предсказания. Она сказала, что если он не погибнет в этой аварии, усевшись на другое место, то проживет еще два дня, после чего его убьют. Давид Георгиевич нахмурился. Получается, что предсказание цыганки сбылось уже во второй раз. И нет никаких гарантий, что оно не сбудется и в третий. А это значит, что у него в запасе осталось только два дня. Два дня жизни, после чего его должны убить. Он даже застонал от неожиданности.

— Вам плохо? — наклонилась к нему пожилая женщина-врач. — У вас что-нибудь болит?

— Не знаю, — признался он, — я даже не знаю, что именно у меня болит.

День третий.
РЕАЛЬНОСТЬ

Дронго внимательно слушал своего собеседника.

— Вы сильно ушиблись? — спросил он.

— Достаточно сильно. На правой ноге была гематома, я получил сильный удар по почкам, на правой руке кровоподтек. Но главное — остался жив.

— Это была случайная авария? Что сказали в милиции?

— Я специально звонил и узнавал. Абсолютно случайная авария. Водитель грузовика тоже пострадал, но не так сильно. Я даже подумал в какой-то момент, что это могла быть подстроенная авария. Ведь с нами отказались поехать оба юриста. Хотя я их хорошо понимаю. Юристы не любят принимать участие в подобных мероприятиях. Им нравится сам процесс обсуждения, они получают удовольствие от своего крючкотворства. В конечном счете им важен результат, а не наши застолья. Но они, конечно, не стали бы планировать наше устранение, хотя бы потому, что мы вместе с Касаткиным платили им огромные деньги.

— Где этот водитель?

— Насколько я знаю, он сейчас в городе. Дает показания в прокуратуре и в милиции. Несчастный парень, нужно было видеть, в каком он был состоянии.

— Версию покушения вы исключаете?

— Абсолютно. Это было бы просто невозможно. Рассчитать удар таким образом, чтобы убить именно сидевшего на заднем правом сиденье пассажира и чтобы другие не пострадали, просто невозможно. Но цыганка сказала мне об этом за пять часов до аварии. Возможно, она каким-то образом смогла действительно все это предугадать.

— И вы решили поверить в ее предсказания?

— А что мне остается делать? — спросил Чхеидзе. — Два дня истекают сегодня ночью. Вот почему я нашел вас. Все говорят, что вы лучший специалист в городе по расследованию различных криминальных происшествий. Может, вам удастся не допустить моей смерти. Логика против мистики, интуиция против гадалки.

— И больше ничего не произошло за эти два дня?

— Конечно, произошло, — кивнул Давид Георгиевич. Он помолчал. — Собственно, еще и поэтому я вас позвал. После аварии я был в таком состоянии, что ничего не мог сообразить. Меня привезли в больницу и начали осматривать. Оказалось, что ничего серьезного. Но я торопил врачей, чтобы вернуться в отель. Хотел послать Лиану, чтобы она нашла эту старую цыганку и привела ко мне. Мне хотелось узнать про следующее предсказание. Когда человеку в моем положении говорят подобные вещи, нужно думать о своем будущем. Прямых наследников у меня нет. Во всяком случае, я так полагал до недавнего времени.

И все мое имущество отойдет моему племяннику, сыну моей сестры, который сейчас учится в Бостоне. Нужно сказать, что он умный мальчик и деньги его интересуют менее всего. Он учится на биолога, хотя сейчас это не самая модная профессия.

— Сколько лет вашему племяннику?

— Двадцать два.

— Он знает, что является вашим наследником?

— Знает, конечно. Но подобные вещи его действительно не волнуют. Другое поколение, другие интересы. Мы были совсем другими. Более голодными, более злыми, более жадными, если хотите. А они совсем другие. Деньги нужны им постольку-поскольку. Он знает, что всегда заработает себе на хлеб, и поэтому не очень волнуется. А количество нулей на банковском счете его вообще не интересует.

— Счастливое поколение, — согласился Дронго. — Может, потому, что мы с вами были больше циниками. Мне вообще кажется, что поколение сорокалетних — это поколение циников. Абсолютных циников, успешно поменявших прежние идеалы на новые. Это ведь в основном бывшие комсомольские секретари и младшие научные сотрудники, которые сделали себе карьеру и успешный бизнес в новых условиях.

— Вы намекаете на меня?

— Нет. Я вообще не намекаю. Просто знаю. Я ведь тоже из этого поколения. Мы абсолютные циники, не верящие ни во что. Следующее поколение — это разочарованные молодые люди, которые еще не знали «прелестей социализма». А уже двадцатилетние — это совсем другое, «капиталистическое» поколение со своими запросами и идеалами. Самые продвинутые, уже гораздо более западные, чем мы с вами.

— Возможно, вы правы, — согласился Чхеидзе, — во всяком случае, если вы думаете, что он заинтересован в моей смерти, то ошибаетесь. Ему гораздо приятнее получать от меня денежные переводы, чем заниматься моими проблемами.

— Он ваш единственный племянник? И вы ему помогаете?

— Да. Мы с сестрой очень любим друг друга. Я ведь потерял отца, еще когда учился в МВТУ. И у нас были определенные трудности, мама не могла высылать мне столько денег, чтобы я мог более-менее сносно питаться. Хотя тогда цены были совсем смешные. Приходилось иногда фарцевать. В начале восьмидесятых самым ходовым товаром были американские джинсы. Мы брали их у иностранцев по пятьдесят или сто рублей, продавали за двести пятьдесят. Очень рискованные операции, но на одни проданные джинсы можно было существовать целый месяц. Мне было достаточно трудно, один раз меня едва не забрали в милицию. Поэтому я помогаю своему племяннику как могу. Чтобы у него не было никаких проблем. Но стараюсь не портить мальчика.

— Что было дальше, — спросил Дронго, — вы нашли свою цыганку?

— Конечно, нет. Было уже достаточно поздно. Лиана с Гюнтером несколько раз спускались вниз, чтобы встретить мою цыганку. Вебер ее видел и наверняка запомнил. А Лиана должна была с ней поговорить, он не знает русского языка.

— И вы сидели один в своих апартаментах?

— Нет, конечно. Здесь все время дежурили охранники. Самойлов тоже слышал все эти предсказания цыганки. И он тоже был в шоке. Только, в отличие от меня, он не мог просто сидеть и ждать, что произойдет. Он сразу взял на себя все заботы и проблемы компании. Он ведь первый вице-президент и, значит, обязан заниматься всеми вопросами после смерти президента. Я даже подумал: какое совпадение. Двенадцать лет назад я был на его месте, когда убили руководителя нашей компании Петросяна. Я тогда тоже сразу заменил его.

Самойлов собрал совещание уже через два часа после смерти Касаткина. В общем, молодец, так и нужно было действовать. У них большая компания, свои проблемы, полторы тысячи человек, которые получают зарплату и зависят от руководства. Он сразу меня заверил, что все контракты и договоры остаются в силе. Я больше беспокоился за предсказание цыганки, чем за свои деньги. Если она окажется права, то все мои миллионы мне просто не понадобятся. Я их не успею ни вложить, ни потратить. Ужасно обидно, если подобное произойдет. Очень обидно.

— Не успеете потратить свои деньги. Только поэтому?

Чхеидзе неприятно усмехнулся.

— Вам не говорили, что вы злой человек? — спросил он у Дронго.

— Иногда говорят. Когда разговариваю с очень богатыми людьми. Не нужно обижаться. Я спросил не для того, чтобы вас оскорбить, а чтобы понять ментальность вашего характера.

— Я переживаю, что не успею осуществить задуманное, — пояснил Давид Георгиевич, — я уже давно достаточно богатый человек и успел получить в этой жизни все, что может дать богатство. Красивые женщины, хорошие дома, путешествия по всему миру, лучшие рестораны. Судя по тому, что вы обедали в «Ротонде», вы тоже не аскет?

— Нет, — согласился Дронго, — но свои деньги я зарабатываю несколько иным способом, чем большинство богатых людей в России. — Он подумал немного и добавил: И в Грузии, и в Азербайджане. Но в «Ротонде» мне понравилось, это правда.

— Вот видите, — кивнул ему Чхеидзе, — к хорошей жизни быстро привыкаешь. Но цыганку мы не нашли. И я почувствовал легкую панику. А тут еще позвонила Ирина.

— Какая Ирина?

— Ирина Миланич, главный редактор известного журнала. Которая помогла вас найти.

— Разве ее фамилия Миланич? — удивился Дронго. — Кажется, раньше у нее была другая фамилия?

— Раньше у нее была своя фамилия, — кивнул Чхеидзе, — а потом она взяла фамилию мужа и под этой фамилией стала известным журналистом. Неужели вы ничего не знаете?

— Не знал, — признался Дронго, — мы много лет не встречались. Я даже не знал, что это она тот самый журналист. Хотя часто встречал ее фамилию на различных мероприятиях и в журналах. Даже не предполагал, что она и есть та самая молодая женщина, с которой я был знаком много лет назад.

— Значит, и я смог вас удивить, — удовлетворенно сказал Давид Георгиевич. — Я попросил ее помочь мне. Но до этого произошло столько разных событий.

— Тогда давайте по порядку. Почему она вам позвонила? Вы были раньше знакомы? Она сказала мне, что вы давние приятели.

— Очень давние, — грустно кивнул Чхеидзе, — мы знакомы уже почти четверть века. Можете себе представить? Даже страшно подумать. Я тоже не знал, что она и есть та самая Ирина, пока в прошлом году не увидел ее фотографию в журнале. В колонке главного редактора. Даже не поверил своим глазам, так она изменилась. И сразу попросил найти номер ее телефона, чтобы поговорить с ней. Такое невозможное совпадение. Через столько лет. Мы договорились, что встретимся, когда я буду в Москве. И перед приездом я ей позвонил, сообщив, что буду в «Национале». Когда мы вернулись из больницы, она мне сразу позвонила. Я был в таком растерянном состоянии, что очень обрадовался ее звонку. Мы не виделись с ней целую вечность. Несколько раз собирались встретиться, но каждый раз из-за чего-то встреча срывалась.

Дронго подумал, что тоже не виделся с Ириной много лет. И обязательно позвонит ей, как только отсюда выйдет. Он так боялся увидеть ее изменившейся и постаревшей. Но если она та самая Ирина Миланич, о которой он много слышал, то она просто великолепно сохранилась. Как такое могло быть? Почему он не узнавал в этой женщине свою прежнюю знакомую? Он помнил другую Ирину, не такую уверенную в себе, не столь цепкую, жесткую, деловую.

— И она приехала к вам? — спросил он неожиданно для себя чуть дрогнувшим голосом, словно ревнуя к своему прошлому. Или к будущему.

— Да, — почему-то вздохнул Чхеидзе, — она приехала в тот вечер ко мне. Я думаю, что мои сомнения усилились еще больше после ее приезда. И мои страхи.

— Почему страхи? — уточнил Дронго.

— Я же сказал вам про два дня, — напомнил Чхеидзе, — и больше всего я боюсь, что мой таймер уже начал свой отсчет. И среди подозреваемых, возможно, Ирина не самый последний человек.

— Вы подозреваете, что она может желать вас убить? — изумленно спросил Дронго. — И после этого вы просили ее найти меня?

— Я не подозреваю именно ее. Она всегда мне

очень нравилась. Но моя история отношений с Ириной, возможно, станет прелюдией к будущей трагедии.

Дронго вспомнил о своей встрече в Румынии. Очаровательная молодая женщина, уже тогда обладавшая сильным характером. Было ясно, что она сумеет сделать карьеру и станет хорошим журналистом. Она была наблюдательна, обладала чувством юмора, умела быстро принимать решения. Ему было тогда только двадцать семь лет. А сколько ей было в восемьдесят шестом? Двадцать три или двадцать четыре года? Летом ей еще не исполнилось двадцать четыре, ведь она родилась в ноябре. Кажется, они об этом тоже говорили. Она была совсем молодой. Как странно, что Чхеидзе тоже не видел ее много лет. Такое совпадение немного пугало. И сильно смущало. Он незаметно вздохнул. Это случилось в восемьдесят шестом году, в Мангалии.

МАНГАЛИЯ. РУМЫНИЯ. ПРОШЛОЕ

Все началось еще на вокзале. Двадцатого июля восемьдесят шестого года. Ходить по Киеву было сложно. Он все время чувствовал, как ему больно глотать. Возможно, это всего лишь ему казалось. Но он привык доверять своим ощущениям. После недавней трагедии в Чернобыле он ощущал присутствие радиации в воздухе почти физически. Хотя понимал, что это могли быть лишь его субъективные ощущения. Но глотать все равно было больно.

На вокзале он стоял на перроне, ожидая, когда придет поезд, направлявшийся из Москвы в Бухарест. Когда мимо прошел состав, он обратил внимание на молодую симпатичную женщину, стоявшую в тамбуре в форме проводницы. Выяснилось, что это как раз его вагон и он должен разместиться в первом купе, рядом с купе проводников. После того как состав миновал государственную границу с Румынией, она переоделась в какую-то серебристую спортивную форму. Он запомнил ее красивое имя. Надежда. По странной логике судьбы она работала без сменщицы. Когда все улеглись спать, он вышел в коридор. Сначала они просто разговаривали. Потом перешли в ее купе. Все было как-то нормально и естественно, словно так и должно было быть. И он остался в ее купе. Никогда в жизни, ни до, ни после, он не встречал таких красивых женщин, работающих на железной дороге. Она была похожа на западную стюардессу, словно сощедшую со страницы рекламного журнала. Утром они расстались. Он забрал свой чемодан и, выходя из вагона, тепло попрощался с женщиной. Уходил он, шагая мимо длинного состава вагонов к зданию вокзала. Когда он вдруг обернулся, то увидел, что она идет за ним. Это его удивило. Он много раз вспоминал потом этот эпизод, понимая, каким бесчувственным эгоистом он оказался в это мгновение. Повернувшись, он еще раз с ней попрощался. Кажется, даже протянул ей руку. И она пожала ему руку, странно улыбаясь и глядя ему в глаза. Может, она хотела что-то сказать, но так и не сказала. И он снова пошел дальше. В двадцать семь лет можно быть симпатичным молодым человеком и абсолютным дураком. Ночью она сказала ему, что обратила на него внимание еще тогда, когда он стоял на перроне, выделяясь среди остальных.

В Бухаресте он пересел на поезд, идущий к побережью. И почти всю дорогу дремал — сказывалась бессонная ночь накануне. В Мангалию он прибыл поздним вечером. Номер в отеле его уже ждал. На этом курорте было так много советских туристов, что казалось, он прибыл на советский курорт в Сочи или Ялту. Повсюду слышалась русская речь. Трудности и перебои с поставками продуктов уже тогда ощущались. Румынский лидер Чаушеску принял программу, согласно которой его страна должна была в течение нескольких лет выплатить все свои государственные долги. Страна задыхалась под бременем подобных обязательств. Самое поразительное, что Чаушеску своего добился. Через несколько лет Румыния выплатила все свои государственные долги. А потом свергла своего лидера и расстреляла его вместе с супругой.

Уже утром Дронго узнал, что ему придется провести на этом курорте несколько дней, чтобы дождаться, пока в Констанце появится Дершовиц. Делать было нечего. Он ходил по курорту, наблюдая за веселыми отдыхающими, знакомясь с представителями разных туристических групп, прибывающих сюда из Москвы, Тбилиси, Баку, Одессы, Новосибирска, Риги, Тюмени.

Днем за обедом он обратил внимание на молодую женщину, появившуюся за соседним столом. На ней было белое платье, ладно сидевшее на ее стройной фигуре. У женщины была темная короткая стрижка, серые глаза, чувственные губы, нос с горбинкой. Удивительно красивое, запоминающееся лицо аристократки. Позже он узнает, что ее отец-профессор был из рода потомственных российских дворян. Он несколько раз оборачивался, чтобы ее увидеть. Она заметила, как он на нее смотрит. И сама несколько раз поворачивала голову, глядя на него с каким-то непонятным чувством удивления и радости. После обеда он вышел на аллею, где прогуливались все отдыхающие. И сразу увидел новенькую. Ему было только двадцать семь лет. Он был молодым и наглым. Но, возможно, она осталась на аллее именно для того, чтобы познакомиться с ним. Тогда он об этом даже не подумал. Подойдя к ней, он сразу спросил:

— Вы только недавно приехали?

Она взглянула на него и через секунду спросила:

— Это новый способ знакомиться или вам действительно интересно?

— Мне интересно, — кивнул Дронго. Хотя тогда его так еще не звали.

— Я журналистка. Прилетела только сегодня утром. Собираю материал «из жизни отдыхающих». И мне дали только два дня. А вы кто?

Ответ на этот вопрос всегда представлял для него некоторую сложность. Уже тогда он не пытался отвечать искренне.

— Я юрист, — ответил он, — прилетел сюда на отдых.

— Вам здесь нравится? — поинтересовалась она.

— Вы спрашиваете уже как журналист или вам интересно? — Он вернул ей тот самый вопрос.

Она оценила его находчивость. Усмехнулась. Протянула руку.

— Ирина.

Он назвал свое имя. Настоящее имя, которое мог тогда еще называть. Они улыбнулись друг другу.

— Вы приехали с группой или отдыхаете как индивидуальный турист? — спросила она.

— Я приехал с группой, — соврал он во второй раз.

— И вы первый раз в Румынии?

— Да. — Он соврал в третий, искренне надеясь, что больше не будет лгать. И задал свой вопрос: — Вы тоже первый раз прилетели сюда?

— Верно, — она улыбнулась, — но я уже бывала в Европе. В Венгрии и в Болгарии.

— Это не совсем Европа, — заметил Дронго, — знаете, как обычно говорят: курица не птица, а Болгария не заграница.

— Еще говорят, что женщина не человек, — вспомнила Ирина.

— Я обычно так не говорю, — возразил он. — И вам понравилось в этой Европе?

— Очень, — восторженно сказала она. — София очень красивый город, и там такие прекрасные люди. А Будапешт просто настоящее чудо.

Он мне ужасно понравился. Из наших городов мне так нравятся только Киев и Ленинград.

— Ленинград мне тоже нравится, — согласился Дронго. — А в Баку вы были?

— Нет. Никогда не была. Мне говорили, что это очень красивый город.

— Как и все города, расположенные у моря, — сказал Дронго, — в них всегда особая, неповторимая атмосфера. Например, на Лазурном Берегу во Франции или на побережье Адриатического моря в Югославии.

— Неужели вы везде были? — спросила она. — Это так здорово. Я больше всего на свете люблю путешествия.

Он не стал уточнять, что тоже любит путешествовать, но отправляется в разные страны совсем по другим причинам.

— Говорят, что море и солнце благотворно действуют на женщин, — заметил Дронго, — они становятся чуточку безумнее и намного более раскованны, чем в обычной обстановке. Об этом писали еще Мопассан и Куприн.

— Не почувствовала, — ответила Ирина, — или у вас большой опыт общения с женщинами?

— Не знаю, — признался Дронго, — большой опыт был у Мопассана и Куприна. А я только учусь.

— Вы забавный, — заметила она. — А где вы остановились?

— На двенадцатом этаже в девятом номере, — сообщил он. — А вы где?

— В соседнем отеле. Только у меня есть напарница, женщина лет сорока пяти. Она все время скорбно молчит, словно я вселилась в ее личную квартиру. Я обычная журналистка, и мне полагается только одно место в двухместном номере.

Это было советское изобретение, когда двух посторонних людей могли поселить в обычном двухместном номере.

— Значит, у меня лучшие условия, — заметил Дронго, — и по законам логики мы должны подняться ко мне в номер.

— Почему должны? — поинтересовалась она.

— У меня второе место свободно, — пояснил Дронго, — и мы можем спокойно поговорить.

— А разве нам мешают разговаривать здесь? — лукаво спросила Ирина.

— Там просто удобнее. Кроме того, мы должны отметить наше знакомство.

— Неужели вы пьющий человек? — с шутливым отвращением сказала она. — Никогда бы не подумала.

— Мы можем выпить лимонаду. Но у меня

есть чудесный рижский бальзам. Не обязательно напиваться при знакомстве.

Она взглянула на него и вдруг улыбнулась еще раз.

— Вы напоминаете мне одного человека, моего знакомого. Тоже с Кавказа. Несколько лет назад мы были с ним очень близки. У вас нет родственников в Тбилиси?

— Есть, — улыбнулся Дронго, — но похожих на меня нет. Насколько я помню. Хотя нельзя исключить, что где-то ходит мой двойник. Это тем более вероятно, что бабушка у меня грузинка. Она менгрелка.

— Вы похожи на моего знакомого, — задумчиво сказала Ирина. Она как-то испытующе взглянула на него. — Вы, наверно, по гороскопу Овен?

— С чего вы взяли?

— Мой друг тоже Овен. Родился в конце марта. Сумасшедший напор, безумная энергия, и он большой ребенок. Вы тоже такой?

— Не знаю, — усмехнулся Дронго, — по-моему, все Овны немного похожи друг на друга. А вы кто по гороскопу?

— Скорпион.

— Говорят, что это самый сексуальный знак для женщин, — заметил Дронго.

— А самый сексуальный для мужчин — это,

конечно, Овен, — рассмеялась она. — Теперь я знаю, как вы соблазняете женщин. Пойдемте, — неожиданно согласилась она, — я должна попробовать ваш бальзам.

Они поднялись в его номер. Он достал бутылку бальзама, разлил темную жидкость в два стакана. Они переплели руки, чтобы выпить на брудершафт.

— За вас, — сказал Дронго.

— За вас, — повторила она как эхо, пригубляя напиток.

Они стояли слишком близко друг от друга. Он чувствовал ее грудь под своим локтем.

— Что теперь? — спросила она, когда они опустили стаканы.

— После того как мы выпили на брудершафт, нужно поцеловаться, чтобы скрепить нашу дружбу. Такой порядок.

— Ну, раз такой порядок, — она усмехнулась.

Поцелуй был долгим. Потом они молча разделись. Следующие два часа они были как юные партнеры, которые впервые познают друг друга. Наконец они взглянули на часы. Было около четырех.

— Я вернусь к себе, — сказала Ирина, — а то моя соседка начнет искать меня по всему курорту.

— Когда ты уезжаешь?

— Послезавтра утром, — улыбнулась она, — но я надеюсь, что мы еще увидимся за ужином сегодня вечером.

Когда она ушла, он отправился принимать душ. Вечером они действительно увиделись. Она сидела за столом, и место рядом с ней было свободно. Дронго прошел и уселся рядом. У соседки, сидевшей около нее, вспыхнуло лицо, но она ничего не сказала. Это была дородная женщина с одутловатым лицом. Очевидно, она страдала от избыточного давления.

— Добрый вечер, — вежливо поздоровался Дронго, — я представитель Интуриста на этом курорте. И обязан интересоваться мнением отдыхающих. С Ириной мы уже говорили, сегодня мы поможем ей подготовить репортаж о ночном отдыхе отдыхающих. Некоторые советские туристы позволяют себе не ночевать в своих номерах, ходят по ночным клубам, даже по разным ночным дискотекам. Возвращаются в гостиницы иногда в два или в три часа ночи. Это так не соответствует моральному облику наших туристов.

— Правильно, — поддержала его гостья, — нужно выводить таких людей на всеобщее обозрение. Клеймить их посредством нашей печати. Пусть культурно отдыхают, а не прыгают на дискотеках. Некоторые даже позволяют себе оставаться в чужих номерах.

— Не может быть, — сказал Дронго, — какой ужас! Мне интересно будет узнать ваше мнение. Откуда вы прилетели?

— Из Тюмени, — строго ответила женщина.

— Очень хорошо. Что вы думаете о еде? Она вам нравится?

— Не нравится, — сообщила отдыхающая, — кормят однообразно и скудно. Хотя хлеба дают много. Но все равно не нравится...

Ирина с трудом сдерживала смех. Они вместе поужинали, и Дронго, выслушав все претензии отдыхающей из Тюмени, пообещал ей, что к следующему сезону все недостатки будут устранены.

— Приезжайте к нам следующим летом, и вы увидите, как здесь все переменится, — заверил свою собеседницу Дронго. Ирина уже кусала губы, чтобы не рассмеяться.

Когда они вышли, Ирина спросила:

— Что ты наплел ей про ночных отдыхающих? При чем тут мой репортаж?

— Всегда поражаюсь человеческой неблагодарности, — проборматал Дронго, — я подарил тебе целую ночь. Теперь эта строгая женщина убеждена, что ты всю ночь будешь собирать материалы о нерадивых туристах, которые позорят высокое звание «строителей коммунизма».

— Ты всегда все продумываешь заранее? — подозрительно спросила Ирина. — Откуда такая изощренность в столь молодом возрасте?

— Завтра я сообщу ей, что ты нашла нескольких молодых людей, которые пытались пройти на нудистский пляж. Ты станешь героем в ее глазах.

— А сегодня? — У нее была прежняя лукавая улыбка.

— Сегодня ты придешь ко мне через десять минут после того, как я отсюда уйду. Ровно через десять минут, чтобы нас не видели вместе в холле нашего отеля. И учти, что я думаю прежде всего о тебе.

— Оценила. А почему ты так уверен, что я обязательно приду? Я ведь могу «перепутать» номер и оказаться в постели другого мужчины. Здесь хватает молодых людей с идеально развитой мускулатурой.

— Если ты говоришь о моем теле, то спасибо за комплимент. А если о других... Ты знаешь, я не умею ревновать. У меня просто не получается.

— Почему? — Она остановилась, глядя на него. — Тебе все равно, нравишься ты женщине или нет? Возможно, у кавказских мужчин существует некий комплекс своего превосходства. Вам кажется, что женщины должны быть счастливы только потому, что вы обращаете на них внимание? Неужели ты тоже так думаешь?

— Не поэтому. Я просто считаю недостойным вести себя подобным образом. Как молодой петушок. Если у женщины нет мозгов, зрения, души, сердца, то не стоит ей ничего доказывать. В конечном счете она сама должна сделать свой выбор. И ничего навязывать женщине просто не нужно. Возможно, что я не прав. Но скажи мне, каким образом я могу повлиять на твой выбор, если ты захочешь отправиться к другому мужчине? Я должен ворваться туда и доказывать тебе, что я лучший? Никогда в жизни. У меня есть гордость.

Он отметил тогда, что она говорит обобщая, и сделал вывод, что у нее уже был печальный опыт общения именно с «кавказским мужчиной», который не сумел или не захотел ее понять. Но спросить об этом он тогда не решился.

— Тебе не кажется, что таким образом ты можешь многое потерять? Женщинам иногда нравится, когда мужчины их ревнуют, — неожиданно возразила Ирина.

— Не думаю. Женщинам нравится, когда их любят. Расул Гамзатов гениально сказал, что настоящие мужчины дерутся только в двух случаях. За свою землю и за своих любимых женщин. Во всех остальных случаях дерутся петухи. Если женщине я не нравлюсь, то не желаю быть петухом, чтобы понравиться.

— Смешно, — сказала она, — будем считать, что ты меня уговорил. Возможно, я приму правильное решение и поднимусь к тебе, чтобы доказать выбор моей души, сердца, мозгов и зрения. Я правильно все запомнила?

Оба рассмеялись. Она пришла к нему ровно через девять с половиной минут. И осталась на всю ночь. Он всегда старался быть предупредительным и нежным по отношению к любой партнерше в постели. Может, потому, что ему нравилось, когда им было хорошо. А может, причины были в его подсознании, ведь впервые встречаясь с женщиной, еще в очень молодом возрасте, он постарался быть тактичным и деликатным. И это укоренилось в нем на всю жизнь. Уже под утро он разбудил ее, чтобы она смогла вернуться к своей строгой соседке. Она отбросила простыню, и он невольно залюбовался ее обнаженным телом.

— Так не хочется уходить, — призналась она. — Ты знаешь, я сейчас подумала, что у меня давно не было ничего подобного. Честное слово. Я уже несколько месяцев не живу со своим мужем и подала на развод.

— Я не знал, что ты замужем.

— Ты просто не спрашивал, — улыбнулась Ирина.

— Да, — согласился Дронго, — я не спрашивал. А ты ничего не говорила. И поэтому я не считал себя вправе приступать к подобным расспросам.

— Я уже давно не замужем, — ответила она, — вот такая замужняя женщина без мужа. Уже месяцев шесть у меня никого не было.

Он молчал, понимая, что ей нужно выговориться. Ирина вздохнула. Она даже не думала прикрываться.

— Спасибо тебе, — неожиданно произнесла она, — я только сейчас поняла, какую большую глупость сделала в своей жизни. Вышла замуж за человека, которого не любила и не уважала. Все получилось как-то неожиданно, спонтанно. Уехал человек, которого я любила. А я была совсем молодой дурочкой. Мне еще не было и двадцати двух. А этот был рядом. Все время рядом. Привычку приняла за любовь. И согласилась выйти замуж. А потом опомнилась, дура, и поняла, что я наделала. Но было поздно. Два года вычеркнула из своей жизни.

— Тебе нет еще двадцати четырех лет, — легко посчитал Дронго, — и ты смеешь говорить подобные вещи? У тебя жизнь только начинается. Все еще впереди. И большая любовь, и настоящее чувство.

Она натянула на себя простыню.

— Ты меня не понял, — задумчиво произнесла Ирина.

Он понимал, о чем она говорит. Но в это утро ему менее всего хотелось думать о ее чувствах и переживаниях. Все было так просто и так хорошо. Он готовился к встрече с Дершовицем и не готов был обсуждать ее семейные проблемы. Это потом, пройдя через тяжелые испытания, смерть друзей и гибель любимой женщины, он изменится. Станет другим. Начнет понимать людей, относиться гораздо терпимее к своим собеседникам, пытаясь услышать, что они хотят ему сказать, и прочувствовать их боль. Но тогда он был совсем другим.

— А почему ты рассталась со своим другом? — спросил он. — Ты могла бы с ним объясниться, и он бы тебя понял. Чтобы не выходить замуж за другого.

— Он не старался, — грустно ответила Ирина, — я пыталась ему что-то объяснить, но он даже не пытался меня услышать. Такой сильный мужчина, уверенный в своей правоте. Внимательный в постели и бесчувственный в других вопросах.

— А может, он считал проявление чувств некой слабостью? — предположил Дронго. — У южных мужчин подобное случается. Это только в кино они стоят на коленях и поют серенады. А в жизни они иногда боятся высказать свои чувства. Показаться смешными, слабыми, незащищенными. Пиросмани мог завалить площадь цветами, но ему трудно было сюсюкать, объясняясь в любви.

— Ты меня не понял, — повторила Ирина уже другим голосом.

Он не ответил ей. В таком молодом возрасте у мужчин мозги устроены совсем иначе. Ей невозможно было рассказать про Надежду, с которой он встречался только два дня назад. Невозможно рассказать, что у него два дня назад была встреча с другой женщиной, которая ему очень понравилась. И с которой тоже не было никаких обязательств и взаимных расчетов. Так легко жить, когда у тебя нет взаимных обязательств. И так трудно брать на себя ответственность. Она бы его просто не поняла. Да и ни одна другая женщина его бы не поняла. Он встретил Ирину на этом курорте, и ему было с ней хорошо. В тот момент ни о чем большем он даже не помышлял. Потом он часто вспоминал этот разговор, и ему было стыдно за свое поведение. Но это было спустя много лет...

День первый.
ВОСПОМИНАНИЯ

Чхеидзе вернулся в отель, потрясенный происшедшей аварией. Болела спина, сильный удар пришелся по правой почке, хотя рентген не выявил никаких переломов или сильных ушибов. Ногу ему обработали, на руку наложили повязку. У него была содрана кожа с правого локтя. Вернувшись в свой номер, он раздраженно выпил рюмку коньяку, хотя врач предупреждал его, чтобы он не пил сегодня спиртного.

Лиану и своего телохранителя он сразу отправил в переход найти эту проклятую цыганку. Но было уже достаточно поздно, и они никого не смогли найти. Когда Лиана сообщила ему об этом, он разозлился еще больше. Позвонил Самойлов, который сообщил о том, что тело Касаткина увезли в морг. Чхеидзе вздрогнул. Он представил себе, как его, раздетого, кладут на холодный стол и начинают разделывать, словно быка. Стало зябко и страшно. Он подумал, что нужно будет выпить еще одну рюмку коньяку, когда раздался телефонный звонок. Лиана была в его номере. Как и Вебер, который сидел у дверей, в холле. Лиана ответила на телефонный звонок. Затем произнесла по-русски:

— Одну минуту, я сейчас узнаю. — Она взгля-

нула на своего босса: — Это звонит Ирина Миланич. Главный редактор журнала. Говорит, что вы
ее знаете. Что мне ей сказать?

— Дай мне трубку, — сразу сказал он.

— Здравствуй, Давид, — услышал он знакомый голос.

— Добрый вечер. Как у тебя дела? Как ты меня нашла?

— Ты же сам сказал мне, что прилетишь в Москву и остановишься в «Национале», — напомнила Ирина, — и поэтому я позвонила. Они долго не
хотели соединять меня с твоим номером. Ты у нас
уже большая персона.

— Какая, к черту, персона, — устало выгово-
рил Давид Георгиевич, — я здесь сразу попал в не-
приятную историю. Ты даже не представляешь
себе, насколько все глупо и неправдоподобно.

— Я знаю, — неожиданно сказала она, — поэтому сразу и позвонила. Как ты себя чувствуешь?

— Откуда ты знаешь? — ошеломленно спросил Чхеидзе.

— Это не важно. Ты лучше скажи, как ты сейчас себя чувствуешь. Тебя ведь увезли в больницу?

— Ты и это знаешь, — криво усмехнулся Давид Георгиевич, — да, я попал в жуткую историю.

Погиб мой главный компаньон. В нас врезался грузовик, и я чудом остался жив. Просто чудом. Он сидел рядом со мной и погиб мгновенно.

— Тебе повезло, — согласилась она.

— Очень повезло. Если бы я сел на его место, то сейчас меня бы отвезли в морг. Можешь себе представить. Столько лет не приезжать в Москву, а потом прилететь и попасть в такую дикую автомобильную аварию.

— Представляю, что ты чувствуешь.

— Если бы ты все знала, то вообще бы мне не поверила. Может, ты сумеешь сегодня ко мне приехать? И учти, что мы не виделись с тобой целую вечность.

— Ровно двадцать три года, — напомнила ему Ирина, — ты тогда уезжал в свой Новосибирск, а я оставалась одна в Москве. Мы разговаривали с тобой в последний раз на лестничной клетке в моем доме. И ты тогда ушел, если, конечно, помнишь.

— Мне было только двадцать два года, — вспомнил Чхеидзе, — я был молодым и глупым. Не нужно вспоминать, каким я тогда был. К тому же у меня было направление на работу в Новосибирск, куда я и отправился на следующий день.

— Верно, — согласилась Ирина, — и не звонил мне целый год. И даже не отвечал на мои письма.

— Я попал по распределению в «почтовый ящик», как тогда называли закрытые предприятия, — пояснил Чхеидзе, — и твои письма до меня просто не доходили. Их мне вручили потом, через семь месяцев. А звонить я оттуда не мог. Даже матери и сестре я звонил только один раз в неделю. Нужно было заполнить особый формуляр и объяснить, кому и зачем я собираюсь звонить. Что мне нужно было написать? Собираюсь звонить в Москву своей знакомой девушке? Мне бы просто не разрешили звонить. Это сейчас есть мобильные телефоны и ты можешь позвонить в любую точку земли и почти из любого места. А тогда все было иначе. Чтобы позвонить в Тбилиси, я ходил к главпочтамту, рядом с которым была телефонная станция для междугородных разговоров.

— Прошло столько лет, а ты все еще пытаешься оправдаться, — мягко заметила Ирина, — я думаю, что все так и должно было случиться. Если бы ты тогда остался в Москве, то, может, никогда не стал бы таким известным миллионером и гражданином Германии. А твой новосибирский опыт тебя обогатил.

— Да, — согласился Давид, — возможно, ты права.

— А я бы не стала главным редактором журнала и, возможно, не сделала бы такой карьеры, — закончила она.

— Значит, нам обоим повезло, — подвел итог Чхеидзе. — Так когда ты сможешь ко мне приехать?

— Часа через полтора. Как раз закончу все свои дела и приеду.

— Я видел твою фотографию в журнале и читал твою вступительную статью. Даже не думал, что ты так изменилась. И в гораздо лучшую сторону. Честное слово.

— Надеюсь, что в лучшую, — согласилась она. — В общем, договорились, я буду у тебя через полтора часа. До свидания.

Он положил трубку. И увидел, как смотрит на него Лиана.

— Это моя старая знакомая, — пояснил Давид Георгиевич, — мы были с ней знакомы, когда я еще был студентом. Сейчас она главный редактор модного журнала.

— Ирина Миланич, — вспомнила Лиана.

— Верно. Ты как раз узнавала ее телефон. В общем, она приедет ко мне через полтора часа. Закажи ужин и шампанское в номер. Пусть сервируют прямо в гостиной. Я не хочу спускаться в таком виде в ресторан. У меня две ссадины на щеке. И рука дико болит.

— Может, перенести ее визит на завтра? — предложила Лиана. — Вам нужно отдохнуть.

— Ничего страшного. Я же не собираюсь таскать камни. Ты позвони и узнай у Самойлова насчет наших завтрашних планов. Наверное, все встречи они перенесут и мне придется надолго задержаться в Москве. Как все это плохо. Даже не представляю, что будет дальше. Когда разрешат похоронить Касаткина, мне, наверное, нужно будет находиться в Москве, чтобы участвовать в его похоронах. И как ты думаешь, когда мы возобновим работу?

— Я все узнаю у Самойлова, — ответила Лиана, — или позвоню Тамаре, бывшему секретарю Касаткина. Она, кажется, была в курсе всех его дел.

— Интересная молодая женщина, — вспомнил Давид Георгиевич, — такая раскованная и агрессивная одновременно.

Лиана промолчала. Она не комментировала высказывания своего босса относительно других молодых женщин.

— Позвони Магде в Цюрих, — напомнил Чхеидзе, — и расскажи об аварии. Пусть свяжется с нашими юристами. Узнает, какие могут быть форсмажорные обстоятельства. И попадает ли смерть одного из руководителей московской компании в этот список. Узнай, что они могут сделать и что мы можем сделать. В общем, пусть подготовят подробный отчет. И свяжитесь с Львом Лазаревичем.

— Я уже все сделала, — сдержанно ответила Лиана, — когда мы ехали в больницу. Позвонила в наш швейцарский офис и Файгельману. Он уже работает над документами.

Она была хорошо вышколенным сотрудником. Чхеидзе несколько удивленно взглянул на нее. Даже он был потрясен этой аварией и не сразу опомнился. Смерть Касаткина вообще выбила его из состояния равновесия. А она так точно и четко действовала, словно заранее подготовилась к столь невероятной катастрофе.

— Молодец, — кивнул Давид Георгиевич, — ты все сделала правильно.

Он редко ее хвалил. Он вообще редко выражал свое отношение к хорошей работе своих сотрудников. Уже много лет проживший на Западе, он считал в порядке вещей хорошую работу всех своих сотрудников. Но если кто-то проявлял нерадивость или неисполнительность, то расплата бывала мгновенной. Он просто не понимал, как можно держать на работе лишний балласт. Провинившегося сразу увольняли, не принимая во внимание никакие объяснения. И хотя юристы несколько раз советовали Чхеидзе быть несколько благожелательнее к своим сотрудникам, он уже не мог измениться. Сказывались и годы, проведенные сначала в Германии, затем в Италии, США, Швейцарии. К тому же он искренне считал, что невозможно сохранить свои деньги, работая с нерадивыми сотрудниками.

Лиана подошла к телефону и стала заказывать для него ужин. Она выбрала бутылку французского вина, зная, какие именно сорта он любит. Он услышал, как она заказывает вино, еще находясь в ванной комнате. Удовлетворенно кивнул сам себе и вышел из ванной.

— Все сделала, — сообщила Лиана, — я вам нужна? Или мне можно удалиться в свой номер?

— Не нужна, — ответил Чхеидзе, — и скажи Гюнтеру, что он тоже мне не будет нужен. Пусть отдохнет в своей комнате. Если понадобитесь, я вас позову. Пусть только проверит официантов. Хотя там будут ребята из охраны. Они наверняка останутся до утра, сменяя друг друга. Надеюсь, что до утра уже ничего особого больше не случится.

Снова раздался телефонный звонок, и Лиана сняла трубку. Выслушав сообщение, она что-то сказала и положила трубку. Затем взглянула на своего босса.

— Звонили из прокуратуры. Они просят, чтобы вы в течение двух суток не покидали Москвы. Завтра приедет следователь, чтобы с вами поговорить. И они сказали, что должны еще получить акты вскрытия. У них такое правило, до тех пор пока не будет актов, вы должны задержаться в Москве.

— А если у меня важные дела? — разозлился Чхеидзе. — Или я обязан сидеть здесь, пока они будут разбираться? Пусть лучше узнают, почему у грузовика внезапно отказывают тормоза. И кто в этом виноват. И вообще откуда появился этот грузовик. Я думал, что их все уже давно списали. И теперь здесь работают только современные крупногабаритные машины — «Вольво» и «Мерседесы».

— Они просили вам передать, — повторила Лиана.

— Если позвонят еще раз, скажи, что передала. И проследи, чтобы нам не мешали, когда придет моя гостья. Предупреди охранников.

— Извините, наша гостья останется ночевать у вас? — Лиана была женщиной без комплексов. — Или нужна будет машина, чтобы ее отвезти домой?

— Я не знаю, — стушевался Чхеидзе. Такие прямые вопросы всегда его немного смущали.

— Дежурная машина будет стоять у отеля всю ночь. В ней двое сотрудников охраны, — сообщила Лиана. — Если вам нужно будет, чтобы ее куда-то отвезли, вы можете сказать об этом кому-нибудь из людей, дежурящих в коридоре. Ваши городские телефоны я переведу на свой номер. И буду отвечать, если кто-то позвонит.

— Все понял, — кивнул Давид Георгиевич, — спасибо за подробный инструктаж. А ты держи ситуацию под контролем. Если будет звонить Лев Лазаревич, можешь меня с ним соединить.

— Обязательно. Это я знаю.

— И еще, — вспомнил Давид Георгиевич. — Ирина позвонила мне и сказала, что уже знает о случившейся аварии. Откуда она могла узнать?

— Возможно, передали по телевидению, — пояснила Лиана, уже поворачиваясь, чтобы выйти. — Я видела, как на место аварии приехали операторы с какого-то телевизионного канала. Касаткин был известным человеком в городе, руководителем крупнейшей строительной компании. И о его смерти могли сообщить в программе новостей. Не каждый день погибает в автомобильной аварии бизнесмен такого уровня. Они могли сказать и про вас.

— Про него могли, а про меня вряд ли. Одним из условий моего появления здесь была полная конфиденциальность наших переговоров и моего приезда. Хотя, может, она узнала меня, когда наконец меня вытащили из автомобиля. Может, камера в этот момент как раз меня и снимала.

— Такое тоже возможно, — согласилась Лиана.

— Вот и не верь потом в мистику, — нервно сказал Чхеидзе, — после такой страшной аварии. Скажи охранникам, чтобы пропустили ко мне женщину. Она скажет им свое имя и фамилию. Пусть пропустят.

— Я скажу, чтобы они проверили ее сумочку, — на всякий случай сказала Лиана.

— Ни в коем случае. Ты даже не представляешь, какая она гордая женщина. Обидится, повернется и уйдет. Пусть просто пропустят.

— Предсказание, — вдруг произнесла Лиана, — у вас остались только два дня. А если она придет сюда, чтобы вас убить?

— Не смей говорить такие вещи. Зачем ей меня убивать? Она успешный главный редактор популярного модного журнала. И мы не виделись почти четверть века. Какая глупость! Ей совсем не нужно меня убивать.

— Предсказание, — снова повторила Лиана.

— Уходи, — разозлился Чхеидзе, — и не нужно меня пугать. Я ничего не боюсь. И не верю в глупые предсказания. Ты же видела, как я сел на заднее сиденье. И ничего не испугался. И не буду бояться впредь. Пусть ее пропустят ко мне и не задерживают. Ни в коем случае. Ты меня поняла?

— Да, — кивнула Лиана, — я распоряжусь.

— У нас с ней были очень дружеские, интимные отношения, — неожиданно сообщил Давид Георгиевич, — очень хорошие отношения. Я даже думал на ней жениться. Но потом как-то не получилось. У нас начались размолвки, ссоры, какие-то мелкие неприятности. А потом я уехал в Новосибирск, и она вышла замуж за своего коллегу, который был старше ее на шесть лет, но зато имел отца, работавшего заместителем министра в каком-то очень важном промышленном министерстве. А мой отец к этому времени был уже на другом свете. Поэтому я обиделся и не звонил ей больше никогда. До прошлого года. Теперь ты понимаешь, почему не нужно ее обыскивать?

Лиана ничего не ответила. Она только сухо кивнула еще раз и вышла из комнаты. Давид Георгиевич остался один. Он подошел к окну и посмотрел вниз, на площадь.

«Откуда эта цыганка могла знать про аварию? — в который раз подумал он. — Или на моей ладони могли быть отпечатки шин неуправляемого грузовика?»

День первый.
ВОСПОМИНАНИЯ

Она вошла в гостиную, и он замер, не веря своим глазам. Это была та самая женщина, фотографию которой он видел в журнале. Он так до конца и не верил, что Ирина Миланич — та самая Ирина Дмитриева, с которой он встречался почти четверть века назад. Он не верил до тех пор, пока не прочел ее биографию, выяснив, что она училась на журналистском факультете МГУ как раз в те времена, когда он с ней встречался. Он попросил Лиану разыскать телефон главного редактора и позвонил ей, даже не рассчитывая на удачу. Но Ирина Миланич оказалась той самой девушкой, с которой они встречались в теперь уже далекие восьмидесятые годы. В прошлом году, когда он ей позвонил, они проговорили более тридцати минут.

Потом были и другие телефонные звонки. Однажды они договорились увидеться в Париже, но он не смог вылететь из-за важной встречи в Милане. В другой раз сорвалась их встреча в Вене, куда не смогла приехать сама Ирина. И вот теперь она вошла к нему в номер. Неправдоподобно изменившаяся. Строгая, деловая, с очень красивым макияжем, великолепно уложенными волосами. В очень стильном темно-синем костюме. Свободный пиджак и юбка немного выше колен. Сумочка от Прада, столь модной в этом году, после выхода в свет фильма с участием Мерил Стрип. Подобранная в тон одежде обувь. Он восхищенно смотрел на элегантную женщину, стоявшую перед ним. Ее наряд дополняли очень изысканные очки без оправы. Он знал, что подобные очки делают только самые известные фирмы. Возможно, это были очки от Шанель или Кристиана Диора.

— Здравствуй, — сказала она, глядя на него и явно радуясь произведенному эффекту, — неужели ты меня не узнаешь?

— Добрый вечер. — Он шагнул к ней и как-то неловко поцеловал ее в щеку. Поцелуй получился даже не дружеским, а каким-то официальным, словно его обязали ее поцеловать. Он даже смутился. Она почувствовала его смущение и улыбнулась.

— По-моему, ты не ожидал, что эти годы пойдут мне на пользу, — сказала Ирина.

— Да, — восхищенно кивнул Давид, — ты очень изменилась. Если бы я встретил тебя на улице, то, возможно, и не узнал бы. У тебя другой цвет волос и совсем другая осанка. Ты даже как будто немного выросла. И сохранила свою фигуру.

— Насчет фигуры не нужно, — покачала она

головой, — я держусь изо всех сил на разных модных диетах, чтобы влезать в свои костюмы. А насчет прически — верно. Я уже давно экспериментирую со своими волосами. Сейчас мне нравится именно такой цвет волос. Чуть светлее обычного.

— Садись, — показал он на стол, вспомнив, что им должны принести ужин.

Она положила сумочку рядом с собой и уселась за стол. Он присел напротив.

— Поразительно, — сказал он восхищенно, — ты главный редактор такого известного журнала. Сколько ты зарабатываешь? Только честно? У тебя есть акции вашего журнала? Или вы считаетесь только российским изданием известного бренда?

— Давай по порядку, — предложила Ирина. — Я зарабатываю около восьми тысяч долларов. Моя официальная зарплата. С разными бонусами и премиями, которые у меня могут быть, я получаю в год до четырехсот тысяч долларов. Это, конечно, не так много, как проценты с твоих миллионов, но мне на жизнь вполне хватает.

— Могу себе представить, — сказал Давид, — это зарплата американского президента.

— До президента мне далеко, — ответила Ирина, — и до тебя тоже. Насколько я знаю, ты «стоишь» сегодня несколько сотен миллионов долларов. Очень неплохо для эмигранта из бывшего Советского Союза. Хотя, насколько мне известно, ты улетел уже отсюда достаточно богатым человеком.

— Конечно. Все свои основные деньги я сделал именно здесь, — согласился Чхеидзе.

В дверь постучали. Это был Вебер. Двое официантов принесли тележки с заказанным ужином. В ресторане отеля можно было заказать изысканные блюда европейской и русской кухни. Они начали расставлять приборы, когда Ирина покачала головой.

— Напрасно ты все это заказал. Я не ем после восьми вечера. Мне требуются героические усилия, чтобы сохранить свою фигуру. Иначе я поплыву и превращусь в обычную толстушку.

— Пусть оставят, — распорядился Давид, — мы не будем есть. Будем только смотреть. А вино ты хотя бы пьешь или от него тоже толстеют?

— Вино почти не пью. Хорошо еще, что ты не предлагаешь мне пива. У них в ресторане бывает хороший солодовый виски. Пусть принесут бутылку.

— Принесите, — согласился Чхеидзе. — Неужели ты пьешь виски? Когда мы с тобой познакомились, ты пила только лимонад.

— Это было в прошлом веке, — невозмутимо

напомнила Ирина, — с тех пор многое изменилось.

Официанты бесшумно исчезли вместе с Вебером.

— И ты стала главным редактором журнала, — сказал Давид, — как все это здорово. Значит, твоя жизнь состоялась. Я тогда вернулся из Новосибирска и узнал, что ты вышла замуж. Говорили, что твой тесть был очень важным человеком. Я тогда искренне за тебя порадовался.

— Так порадовался, что даже не позвонил, когда снова вернулся в Москву?

— Я не сразу вернулся. Только через два года. В первый отпуск я поехал в Тбилиси. У меня тогда заболела мать, и я поехал к ней. А сюда я приехал только через два года. Мне сказали, что ты замужем, у вас все хорошо. Даже любезно сообщили, что ты успела родить. Поэтому я не стал тебе перезванивать, чтобы не мешать вашему счастью.

— Какое благородство, — всплеснула она руками, — и ты поэтому решил мне не звонить? Так радовался за меня, что даже не захотел меня снова увидеть. Ты всегда был эгоистом, Давид. Извини, что я вынуждена тебе это говорить. Я ведь чувствовала твое отношение ко мне. Ты помнишь, как мы познакомились? Ваша компания была у Владика дома, когда я туда пришла. Мне еще сказали, что у Владика собираются главные фарцовщики среди студентов.

— А мне сказали, что придет самая красивая студентка-журналистка, — вспомнил, улыбаясь, Чхеидзе, — и еще рассказывали о твоем знаменитом папе.

— Поэтому ты сразу запал на меня. Твоему кавказскому «эго» льстило, что ты будешь встречаться с самой красивой студенткой. Ты знаешь, как я об этом догадалась? Когда увидела твои многочисленные фотографии в зарубежных журналах вместе с разными красотками — актрисами, топ-моделями, журналистками. В общем, тебе нравится быть в окружении красивых женщин. Это, очевидно, тебя стимулирует.

— Ты мне тогда очень нравилась, — возразил Давид, — и встречался я с тобой не для «стимулирования».

— Возможно, что нравилась. Но еще больше ты любил гордиться мною, выставляя как игрушку, как символ твоего безраздельного могущества. Тебе было приятно, что с тобой рядом находится такая студентка. К тому же все знали моего отца, известного профессора. У него как раз в это время вышла очередная книга.

— Я встречался с тобой не из-за твоего отца, — возразил Давид, чуть покраснев, — ты мне нравилась больше всех остальных. И ты сама прекрасно знаешь, что очень мне нравилась. А насчет отца... Говорят, что это ты выбрала себе мужа из-за его отца. Он ведь был тогда заместителем министра.

— Ах, вот почему ты не позвонил. Решил, что я выбрала себе богатого мужа с хорошими родственниками? Эх ты, значит, ты меня совсем не понимал. Этот парень ухаживал за мной, еще когда мы с тобой встречались. Ты еще так смеялся над Викентием. Да, да, тот самый Викентий Миланич, которого ты тогда считал полным ничтожеством. Он все время бегал за мной как собачонка, готов был выполнить мои любые прихоти, чтобы я только вышла за него замуж. Уже позже я поняла, что нельзя выходить за «собачку». Мужа нужно уважать. Или хотя бы не обманывать. Мой меня очень любил. И возможности имел почти неограниченные. Его отец был не просто заместителем союзного министра, а еще и генерал-полковником. В те советские времена у него была очень большая должность. Только мне от этого было не легче. Я его не любила совсем и самое главное — не уважала. Очень трудно жить с мужчиной, которого не уважаешь. Вот поэтому мы с ним и развелись через два года. И я осталась одна с ребенком на руках.

— Я этого не знал, — сказал несколько ошеломленный таким известием Давид.

— Или не хотел знать, — возразила она, — так было удобнее.

В дверь снова постучали. Чхеидзе крикнул, разрешая войти. Официант вошел снова вместе с Вебером. В руках он держал три бутылки виски разных сортов. Ирина усмехнулась. Очевидно, в отеле уже знали, какой именно клиент у них остановился.

— Поставь на стол и уходи, — приказал Чхеидзе, протянув официанту на чай десять евро.

Официант вышел вместе с Вебером за дверь.

— Это твой телохранитель? — спросила Ирина, указывая на вышедшего Вебера.

— Да. Он прилетел вместе со мной.

— У тебя охрана, как у президента, — заметила Ирина, — ты чего-то боишься?

— Ты же знаешь, что случилось со мной сегодня. Я чуть не погиб. Поэтому мне прислали такую охрану. — Он поднял одну бутылку, показывая ее Ирине, и она кивнула в знак согласия. Чхеидзе разлил янтарную жидкость в два больших стакана. Добавил лед. Протянул один стакан своей гостье.

— За нашу встречу, — предложил он.

— За встречу, — согласилась Ирина, чуть пригубив напиток. И поставила стакан на стол перед собой. Затем сказала: — Насколько я слышала, это была случайная авария.

— Ничего случайного не бывает, — возразил Давид, — помнишь, как было написано у Булгакова? Ты тогда попросила меня достать для тебя эту книгу, и я достал ее через знакомых ребят. Даже не книгу, а журнал, где был напечатан роман. Честно говоря, он мне не очень понравился. Я не любил мистику. Но одну фразу насчет упавшего кирпича запомнил. Кирпич просто так на голову не падает, сказал Воланд.

— И ты думаешь, что твою аварию подстроили? Или это была не случайность?

— Я тебе расскажу, как было, — сказал Чхеидзе. И он вкратце рассказал, что с ним произошло, закончив монолог словами: — Так что жить мне осталось два дня. А потом меня убьют.

— Кто убьет? Почему?

— Этого я не знаю. Но цыганка сказала, что убьют. И теперь я начинаю думать, как мне быть. — Он взял бутылку и налил себе почти половину стакана. Затем залпом выпил виски, даже не поморщившись.

— Не нужно столько пить, — попросила Ирина. — И ты ничего не хочешь предпринять? Будешь сидеть и ждать, пока тебя убьют? А может, она ошиблась или ты ее не так понял?

— Рядом со мной стояли несколько человек. И они все слышали, что именно говорила цыганка.

— Тогда уезжай, — предложила Ирина.

— Не могу. Звонили из прокуратуры и просили меня задержаться в Москве хотя бы на два дня. Пока не проведут вскрытие тела погибшего. Как будто они не знают, что именно произошло. У них сотни свидетелей. На глазах у всей улицы этот грузовик врезался в нашу машину. Но им важно, чтобы я тоже оставался в Москве.

— Ты проверился в больнице? У тебя нет внутренних разрывов, каких-нибудь кровоподтеков?

— Есть, — мрачно сообщил Давид, — и на руке, и на ноге. Я стараюсь об этом не думать. Но ничего серьезного нет. Ребра целы, руки-ноги тоже. Голова не пострадала.

— Тогда тебе действительно повезло. — Она подняла свой стакан, в котором было немного виски, перемешанного с уже растаявшими кубиками льда.

— За тебя, — сказала она, — за твое сегодняшнее второе рождение.

— Спасибо. — Он плеснул себе еще немного

виски, и они чокнулись, перед тем как выпить. На этот раз он только пригубил напиток.

— Ты очень красивая женщина, — задумчиво произнес Давид Георгиевич, — иногда я жалел, что все так глупо получилось. Ты помнишь наш последний разговор у вас дома? Ты пыталась мне что-то сказать, объяснить, а я ничего не понял. И ушел, так ничего и не попытавшись понять. Потом долго ругал себя за свое глупое поведение. Но было уже поздно. Я должен был лететь в Новосибирск.

— Хорошо, что ты вспомнил об этом, — вздохнула Ирина, — я тогда пыталась тебе объяснить. Но ты ничего не понимал. Ты слушал меня и не слышал. Мне было ужасно больно. А потом ты ушел.

— Ты развелась со своим мужем тогда и с тех пор больше не выходила замуж? — спросил Чхеидзе.

— Выходила. Говорят, что умные учатся на ошибках других, а дураки на собственных ошибках. Я еще раз вышла замуж, уже когда мне было за тридцать. И знаешь, кто был моим вторым мужем? Можешь не поверить. Он был датчанином. Датчанином, который хорошо владел русским языком и был специальным корреспондентом своей газеты в Москве. С ним мы развелись еще быстрее, уже через год. Оказалось, что западный менталитет совсем не для меня. Его отец был миллионером, а сын считал каждую копейку. Буквально каждую копейку. Только не смотри на меня так. Я про его отца ничего не знала, когда выходила замуж. Мне нравился сам датчанин. Очень начитанный, умница, хорошо знающий русскую литературу и, в отличие от тебя, даже любивший Булгакова. Мама у него была литовка. И он хорошо знал русский язык. Только оказалось, что образование не может изменить менталитет человека. Он был типичным скандинавским торговцем, какими были его предки на протяжении сотен поколений. Летал только в экономклассе, жил только в трехзвездочных отелях, питался только в самых дешевых ресторанах. Такой умница и такой жадина. Я даже иногда думала, что он притворяется. Но он действительно был таким.

— Самый богатый в Европе человек владеет мебельными салонами ИКЕА, — сказал Давид, криво усмехнувшись, — про него знает весь мир. Он тоже летает только в экономклассе, ездит на старой машине, питается в дешевых ресторанах и живет в самых недорогих отелях. Своему собственному сыну он платил очень небольшую зарплату, когда тот работал в его фирме. Ничего удивительного. Типично скандинавский менталитет.

— Только не для меня, — вздохнула Ирина, — ты же знаешь, что мой отец всегда был исключительно щедрым человеком. И я привыкла к такому типу мужчин, только к такому. Жадины вызывают у меня отвращение. Жить ради денег, по-моему, отвратительно. Извини, что это я тебе говорю. Ты у нас тоже очень богатый человек. Только ты не такой, как мой датчанин. Живешь в шикарных апартаментах, хорошо одеваешься, заказываешь ужин из ресторана отеля. В общем, в тебе тоже говорит твоя «грузинистость». Даже если у тебя не будет денег, ты сделаешь все, чтобы пустить пыль в глаза. Такой шикарный кавказский мужчина.

— У меня есть деньги, — немного обиженно заметил Чхеидзе, — и я никогда не был жадиной. Это даже обидно. Копить деньги, чтобы их потратил кто-то другой? Очень глупо. Я тогда, в начале восьмидесятых, фарцевал только для того, чтобы нормально одеваться и питаться. Стыдно было ходить в обносках и все время занимать деньги у московских студентов. Гордый я был, молодой и гордый. Таким и остался. Поэтому и купил себе замок под Цюрихом, где я сейчас живу. И небольшой дом в Лос-Анджелесе. Я не Абрамович, и у меня нет даже миллиарда долларов. Но моих денег может хватить нам обоим. И если ты вдруг решишь сделать ошибку в третий раз, то я готов совершить ее вместе с тобой.

Ирина улыбнулась, прикусила губу.

— Ты так и не женился? — спросила она.

— Нет, — ответил он, — так и не смог найти женщину, похожую на тебя.

Теперь они улыбались оба. Они не могли даже предположить, какие трагические последствия будет иметь их сегодняшняя встреча. Они не могли об этом даже подумать.

День третий.
РЕАЛЬНОСТЬ

— Давайте по порядку, — предложил Дронго сидевшему напротив Чхеидзе, — значит, вы встретились с Ириной два дня назад, впервые за столько лет?

— Верно. Мы не виделись с восемьдесят четвертого. Двадцать три года. Просто невероятный срок. Я думал, что такое бывает только в книгах. Но видите, иногда в жизни случаются подобные невыдуманные истории. Она мне очень нравилась. И я думаю, что тоже нравился ей. Мы познакомились у моего друга. Ее отец тогда был известным ученым, вы, наверно, о нем слышали. Дмитрий Алексеевич Дмитриев. Мировое светило.

Потом он стал членом-корреспондентом Академии наук. А у меня отец к этому времени умер. И я занимался фарцовкой, о чем я вам уже говорил. Такой неравный союз. Нет, я не нуждался, но всегда чувствовал себя рядом с ней человеком другой касты. Как в Индии, где есть высшая каста жрецов и каста неприкасаемых. Отец и мать у нее были интеллигентными людьми, они неплохо ко мне относились. Но я сам понимал разницу. Хорошо понимал. Грузинский мальчик, приехавший в столицу и живущий в общежитии с тремя другими ребятами. И она, ухоженная московская девочка, живущая в огромной профессорской квартире. Мне было трудно решиться за ней ухаживать. Первые несколько месяцев мы только встречались, как дети. Честное слово. Сейчас в это даже трудно поверить. Брали мороженое, ходили в кино и даже билеты покупали не в последний ряд. У нее уже тогда были некоторые проблемы со зрением. И первый раз мы поцеловались только через пять месяцев после нашего знакомства.

Дронго почувствовал, что его словно укололи. Ему было неприятно это слышать. Он вспомнил молодую и красивую женщину в Мангалии. Как она тогда ему сказала? Она рассталась с любимым и вышла замуж за нелюбимого. Значит, первый мужчина, который ей так нравился, и был Давид Чхеидзе. Самое обидное, что они действительно были похожи, только сам Дронго был немного мощнее, а у Чхеидзе была еще тонкая ниточка уже начинающих седеть усов.

Возможно, тогда она увидела меня и вспомнила про своего первого мужчину, огорченно подумал Дронго. Возможно, после двух лет неудачного замужества она хотела снова испытать забытое чувство любви. И поэтому так охотно согласилась на эти встречи. Может, она видела во мне совсем другого человека. И в постели представляла себе совсем другого. Думать об этом ему было неприятно. Он нахмурился, не показывая своего раздражения.

— В общем, я был ее первый мужчина, — продолжал терзать его самолюбие Давид Чхеидзе, — у нас было все, как бывает у неопытных молодых людей. Даже не получилось с первого раза. Сейчас об этом немного смешно вспоминать, а тогда мне было ужасно стыдно. Но инициатором наших интимных встреч была именно она. Я бы никогда не решился.

— Когда это было?

— В восемьдесят третьем. Вы помните, какое это было время? В ноябре восемьдесят второго умер Брежнев, и к власти пришел Юрий Андропов. Сразу начались проверки в кинотеатрах и в парикмахерских. Студентов исключали из институтов, если ловили в других местах во время занятий. Сотрудников наказывали, партийным объявляли выговоры. А мы встречались с Ириной на даче у ее отца. Ездили туда на автобусе. Почти год встречались. А потом я получил распределение в Новосибирск. И она оставалась в Москве. Я пришел к ней объясниться, уже думая о новой работе. Мне так хотелось проявить себя, показать, на что я способен. Я ведь попал по распределению на предприятие, которое занималось особыми оборонными заказами. С моим образованием я мог далеко пойти, может, даже стать первым грузинским космонавтом. Или известным конструктором. Я ведь хорошо учился. У меня было столько планов. И не забывайте, что мне было только двадцать два года. Мысли о женитьбе мне даже не приходили в голову. Поеду в Новосибирск, немного поработаю, получу квартиру, накоплю денег и потом смогу жениться. Вот так примерно я думал. Сидеть на шее у ее отца мне не хотелось.

— И вы с ней расстались?

— Хуже. Мы с ней разорвали всякие отношения. Она пыталась меня убедить, что мне нужно остаться в Москве. Сейчас понимаю, что она просто не хотела, чтобы я уезжал. Но говорила это совсем иначе. Она тоже была очень молодой и не умела скрывать своих эмоций. Слово за слово, и мы поспорили. Потом разозлились. Потом поругались. И я ушел. Ушел, как выяснилось, на много лет.

Он помолчал, отвернувшись в сторону. Незаметно потер правый бок, сморщился, очевидно, от боли. Затем сказал:

— В молодости мы бываем излишне эгоистичны. Я уехал в Новосибирск, а она вскоре вышла замуж за это ничтожество. И через два года развелась. Потом у нее появился еще какой-то друг. Когда я вернулся в Москву, мне сказали только о ее замужестве, и я решил больше ей не звонить. А она к тому времени уже собиралась разводиться. Вот так глупо я поступил. Потом все изменилось. Я вернулся в восемьдесят восьмом в Москву, и это был уже отчасти иной город. И я был немного другой. А потом события нарастали как снежный ком. И в девяносто пятом я отсюда просто сбежал.

Чхеидзе вздохнул. Затем добавил:

— Тогда меня хотели убить. Или запугать. Но я не думаю, что те проблемы могут возникнуть опять. У меня нет ни земли, ни зданий, из-за которых меня хотели устранить. Ничего нет. Все мои деньги в банках и в различных зарубежных компаниях. Даже убив меня, их невозможно получить. Но кто и зачем должен меня убить, я не понимаю.

— Вы снова о предсказании.

— Я все время об этом думаю. Ведь цыганка нагадала и Самойлову. Сказала, что он станет руководителем, нечто в этом роде. Он ведь сразу заменил Касаткина. Только цыганка ему нагадала будущие неудачи. И я уже сейчас знаю, что если со мной что-нибудь случится, то весь проект их компании полетит к чертовой матери. Получается, что одно было увязано с другим. Смерть Касаткина отложила мою смерть на два дня. А после того как убьют меня, у Самойлова ничего не получится. Это понятно и без предсказаний гадалки.

— И за эти два дня, после аварии, вы встречались только с Ириной?

— Нет, — ответил Давид Георгиевич, — конечно, нет. Иначе все было бы достаточно просто.

Он посмотрел в окно. Видно было, что попытка задать следующий вопрос ему дается с трудом. Но он его все-таки задал.

— Она сказала, что вы познакомились с ней в Румынии еше двадцать лет назад. Вместе отдыхали? Или вместе поехали?

Дронго понял, что его собеседник тоже ревнует. Ему было важно знать, какие чувства испытывал к Ирине сам Дронго, которого она нашла через столько лет.

— Разве она вам не сказала? — осторожно спросил он.

— Сказала, что знакома с вами достаточно давно. Но уже много лет не разговаривала с вами. Нет, она мне ничего не сказала. Она должна была что-то сказать?

— Конечно, нет, — спокойно ответил Дронго, — мы встретились в Румынии, когда она прилетела туда на один или два дня делать какой-то специальный репортаж об отдыхающих. А я тогда работал в системе Интуриста и помогал ей с репортажем. Мы расстались хорошими друзьями, а потом на много лет потеряли друг друга из виду. Москва большой город. И я с трудом вспомнил ее, когда она мне позвонила.

Он лгал. И делал это сознательно. Он понимал, какие чувства испытывает к этой женщине Давид Чхеидзе, так и не нашедший своей любви в этой жизни. И его постоянные спутницы в глянцевых журналах были лишь неудачной попыткой отвлечься от единственной и настоящей любви, которая была в его жизни. Поэтому спустя столько лет Дронго не хотел вспоминать действительные детали их встречи. И не мог рассказывать о них своему собеседнику. За эти годы он стал мудрее и опытнее.

— Она и сейчас хороший журналист, — согласился Чхеидзе, — и очень красивая женщина. Я когда ее увидел, просто испугался. Она стала гораздо интереснее. Как говорят французы: женщина — это вино, и с годами она делается все лучше и лучше. Это как раз пример Ирины. Тогда она была неопытной девочкой, такой домашней и уютной. А сейчас настоящая аристократка. Она тонко чувствует ситуацию, понимает людей, умеет слушать и слышать. В общем, она очень изменилась за эти годы, и изменилась в лучшую сторону.

Дронго слушал, стараясь не выдавать своего волнения. Ведь их последняя встреча в Мангалии тоже не была рядовой. Очевидно, она помнила об этом всю свою жизнь, и этот печальный опыт тоже закалил ее характер. А виноват был во всем только он один. Но рассказывать об этом он не спешил.

МАНГАЛИЯ. РУМЫНИЯ. ПРОШЛОЕ

Утром она не пришла к завтраку. Возможно, решила отоспаться. Дронго встретил ее соседку, которая ему даже улыбнулась. Вернее, изобразила подобие улыбки.

— Говорит, что собрала очень неплохой материал, — радостно сообщила соседка, — она их всех выведет на чистую воду. Приезжают сюда отдыхать, а сами пьют водку, развратничают и безобразничают до утра. У нас в Союзе уже приняли меры по борьбе с алкоголизмом. И здесь тоже нужно принимать подобные меры.

— Обязательно, — заверил ее Дронго. — А почему она не пришла?

— Устала и отдыхает, — сообщила соседка, — я решила ей не мешать. Какая она молодец! Такая молодая и такая принципиальная.

— Вы правильно сделали, — согласился Дронго, — пусть она пригвоздит их своим пером.

Ему было жаль эту несчастную женщину, так ничего и не понявшую в этой жизни. После завтрака он случайно увидел в холле ресторана большую группу из Одессы. Это были в основном учителя, среди которых было много молодых женщин. Руководитель одесской группы занимал большую должность в областном отделе народного образования. Что не мешало ему ежедневно устраивать после завтрака «час политинформации», когда он вслух читал своим несчастным подопечным газету «Правда». Нужно было видеть лица этих молодых женщин, которые думали о солнечном пляже во время этой политинформации.

Дронго не выдержал. Он подошел к обалдую, который продолжал вслух читать газету. Рядом сидел пожилой еврей, приехавший вместе с группой. Он с грустью смотрел на Дронго, понимая, что этот руководитель не остановится, пока не закончит читать свою статью.

— Подождите, — вмешался Дронго, — так нельзя.

— А вы кто такой? — строго спросил его руководитель одесской группы.

— Я представляю здесь отделение Интуриста, — ответил Дронго, видя, как оживились молодые женщины. Им было явно скучно слушать о положении трудящихся в Англии и уборке урожая в Ставропольском крае.

— Что вам нужно, товарищ? Мы проводим час политинформации, — строго сказал руководитель одесской группы. Он был одет в мешковатый темный костюм и короткий галстук, не доходивший ему до пряжки ремня.

— Нужно, чтобы каждый проникся вашей информацией, — с чувством предложил Дронго, — а одной газеты явно недостаточно. Лучше разбить всю группу на пятерки и раздать каждой пятерке по своей газете. Я попрошу в отделении Интуриста, чтобы вам выдавали по шесть или семь газет. Будет еще лучше, если вы сами разобьете всех на пятерки и назначите ответственных. Пусть передают газету из рук в руки. Это новый метод работы. Вы ведь не можете гарантировать, что все вас хорошо слушают и понимают то, о чем вы говорите. Может, некоторые только делают вид, что вас слушают, а на самом деле думают совсем о другом...

Многие уже догадались, что подошедший молодой человек просто издевается над их руководителем, и молчали, скрывая лукавые улыбки.

— А когда будут пятерки, то легко всех контролировать, — продолжал рассуждать Дронго, — вы ведь должны знать, к чему призывал нас Апрельский пленум ЦК? К ускорению и интенсификации нашей жизни. По-моему, так будет правильно.

Услышав слова «ЦК» и «пленум», руководитель поднялся со своего места и застегнул пиджак.

— Вы абсолютно правы, товарищ, — кивнул он, — с завтрашнего дня мы разделим всю группу на пятерки.

— И сами контролируйте каждую пятерку по очереди, — предложил Дронго, — чтобы дать возможность отдыхать всем остальным.

— Так мы и сделаем, — сказал этот обалдуй.

— Спасибо, — раздался восторженный шепот кого-то из женщин. Все были просто счастливы.

«Господи, — подумал Дронго, отходя от них, — разве можно быть таким идиотом. Люди приехали на отдых, хотят купаться, загорать, отдыхать. А он читает им передовицы газеты «Правда». Такого руководителя нельзя и близко подпускать к людям. Представляю, как он может покалечить детские души, если его вдруг пошлют в школу или в институт. А ведь могут послать, он какой-то большой руководитель в отделе народного образования».

За обедом Ирина снова не появилась. Соседка сообщила, что за ней приехали местные журналисты для важной встречи и увезли ее в Констанцу. Дронго прошел на обед, сопровождаемый улыбками и веселыми шутками одесской группы. Он стал здесь своеобразным героем, после того как сумел остановить зарвавшегося чиновника.

К нему подсел молодой человек лет тридцати пяти.

— Добрый день, — осторожно сказал он, — большое вам спасибо за сегодняшний разговор. Вы нас просто спасли. Извините, что не представился. Меня зовут Роман Винник.

— Очень приятно, — он назвал свое имя, — не

мог спокойно смотреть на ваши страдания. Вы отсюда поедете в Болгарию?

— Да, — кивнул Винник, — и там все повторится. Мы с ужасом думаем, что там будет. Даже страшно представить. Ведь в Болгарии у нашего руководителя будет больше возможностей. Там получают не только «Правду». Наших девочек жалко.

— Нужно что-то придумать, — согласился Дронго, — я поговорю с представителями Интуриста в Болгарии. — Винник не мог знать, что в различных представительствах Советского Союза за рубежом, в торгпредствах, посольствах, в корреспондентских пунктах известных газет, телевизионных каналов, информационных агентств всегда было много сотрудников КГБ и Службы внешней разведки. Справедливости ради стоит сказать, что подобные методы практиковали и все другие страны, а Болгария, находившаяся между двумя странами НАТО — Турцией и Грецией, была просто «нашпигована» сотрудниками КГБ, и в этой стране был даже официальный представитель этой организации в должности генерала, курирующий работу всех спецслужб. Дронго об этом знал. Сразу после обеда он позвонил своему знакомому в Варну. Рассказал о ситуации в одесской группе.

— Ты не вмешивайся, — посоветовал знакомый, — один такой зарвавшийся чиновник может испортить тебе всю биографию. Будет жаловаться, что ты мешал ему проводить политинформацию. И никто тебе не поможет. Скажут, что ты не осознаешь важности момента, смеешься над нашими идеалами. Тебе не помогут никакие заслуги.

— Жалко ребят. Там в основном девушки, — признался Дронго, — представляешь, как он над ними издевается.

— Представляю, но ничего сделать не могу. Хотя подожди. Ты знаешь, что у тебя потом будут встречи в Пловдиве и в Габрове. Важные встречи. Мы можем сделать немного иначе. Собери ребят из этой группы и спроси, кто хочет совершить отдельный тур по Болгарии. Избавишь их от этого руководителя. Поедешь с ними. И мы дадим тебе еще одного человека в качестве помощника.

— Я тебя не совсем понял.

— Наши друзья с другой стороны океана начали активно тобой интересоваться. Будет правильно, если ты поедешь в эту поездку с обычными ребятами. Прекрасный отдых и хороший повод поездить по Болгарии.

— Там в основном молодые женщины, — несколько сконфуженно заявил Дронго.

— Тогда отбирай самых красивых, — пожелал ему на прощание его знакомый.

Дронго вернулся на пляж и сообщил новость одесской группе. Все закричали от восторга. Никто не мог даже представить себе подобных изменений в своей программе. В конце концов все приехавшие были из Одессы, а значит, с другой стороны Черного моря. И провести еще две недели на море в сопровождении своего руководителя, читавшего им передовицы газет, было просто выше их сил. Никому даже в голову не могло прийти, что подобное неслыханное нарушение отдыха советских туристов за рубежом могло быть проведено только другой, гораздо более мощной организацией, чем Интурист.

Этот невероятный круиз должен был начаться через несколько дней — второго августа восемьдесят шестого года. Девять человек из одесской группы. Ничего не подозревающие молодые люди. Двое парней и семеро девушек. Они не осознавали, что подобное нарушение было немыслимо в условиях существовавшего тогда режима. Но им не хотелось задавать лишних вопросов. Ни себе, ни этому молодому человеку из Баку, так кстати оказавшемуся рядом с ними.

К вечеру группа была готова. Роман Винник, Захарий Патрев, Галина Галота, Ольга Яворская,

Светлана Измайлова, Галина Шарук, Валентина Огородникова, Ольга Ейникова, Наташа Иванькова. Он переписал все фамилии и отправил список по факсу в Варну. Молодые женщины были в восторге от предстоящей поездки. Они даже предложили сыграть в «бутылочку», решив своеобразно отблагодарить своего «спасителя». На каждого из мужчин, на кого указывала бутылочка, приходилось по пять-шесть женщин, с которыми можно и нужно было целоваться. Игра всем понравилась. Шум и крики привлекали внимание остальных отдыхающих. Было уже достаточно поздно, когда на аллее появилась Ирина и увидела своего ветреного друга, который в этот момент как раз целовался с одной из девушек. Она остановилась, замерла. Затем повернулась и пошла к ресторану. Дронго подумал, что для полноты счастья ему не хватает почти семейного скандала, и поспешил за ней следом.

Он прошел в ресторан. Ирина ужинала с каменным выражением лица. Рядом сидела ее соседка. Дронго вежливо поздоровался, соседка ответила. Ирина даже не повернула голову. Ужин прошел в неловком молчании. Почувствовавшая неладное соседка начала бросать грозные взгляды на Дронго. Очевидно, он мешает молодой журналистке работать или завидует ее таланту, решила эта неприятная особа. Люди обычно судят других по собственным меркам, так устроена человеческая природа. Когда ужин закончился, Ирина поднялась, чтобы выйти, Дронго поспешил за ней. Он нагнал ее уже на улице.

— Что случилось? — спросил он. — Тебя весь день не было видно. А вечером ты появилась с таким выражением лица, словно уже подписала мой смертный приговор.

Она не улыбнулась.

— Я работала, — пояснила Ирина, — сегодня весь день. А завтра утром я уезжаю в Бухарест и оттуда улетаю в Москву.

— Значит, впереди целая ночь, — улыбнулся он.

Но она не захотела его понять.

— Нет, — сказала Ирина, — сегодня уже ничего не будет. Я вернусь в свой номер, и мы попрощаемся прямо здесь. Я видела, как ты развлекался с этими молодыми женщинами из Одессы.

— Послушай, Ирина, я не делал ничего плохого. Мы играли в безобидную игру, и всем было весело. Дело в том, что я спас часть одесской группы от их руководителя, который читал им политинформацию из газеты. Можешь себе такое вообразить? Теперь они отправятся в поездку по стране без него. Ты не представляешь, какое хорошее и благородное дело я сделал.

— Представляю, — она покачала головой, — я думала, что ты более серьезный человек. В какие-то моменты ты кажешься совсем другим, более взрослым и более серьезным. Как будто жизнь для тебя — одна большая игра.

— По-моему, Акутагава сказал, что жизнь похожа на коробку спичек. Относиться серьезно — глупо, относиться несерьезно — опасно. В этой большой игре не бывает победителей, — очень серьезно ответил Дронго, — мы все заранее проигравшие. А раз так, то нужно немного разнообразить свой приход в этот мир.

— Встречаясь со мной, ты тоже играешь в эти игры?

— Не нужно так серьезно, Ирина. Ты мне ужасно понравилась. И после двух встреч с тобой нравишься еще больше. Но я не готов к серьезному разговору. Может, потому, что не уверен в своем будущем.

— В каком смысле? — спросила она.

В будущем он не будет допускать подобных ошибок. Он понял, что проговорился. И проговорился намеренно, решив объяснить женщине причину своего поведения.

— Ты можешь сегодня не приходить ко мне, —

seg_header

серьезно сказал Дронго, — и можешь считать, что я тебя обманываю. Но на самом деле мне предстоит довольно сложная встреча, в которой я не могу гарантированно остаться в живых. Ты меня понимаешь?

Она молчала. И вдруг неожиданно спросила:

— Кто ты такой? Чем ты занимаешься на самом деле? Я уже давно поняла, что ты не работаешь на Интурист. Здесь не бывает индивидуальных туристов. И никому не дают отдельных номеров.

— Мне дали по блату, — попытался пошутить он, но она отмахнулась.

— Не нужно больше ничего говорить. Я просто пытаюсь понять. До свидания. Я к тебе больше не приду. — Она повернулась и пошла по аллее не оглядываясь.

Он нахмурился. Но не пошел за ней следом. Даже тогда, когда нужно было бежать, он не стал ее догонять. Потом, вспоминая и анализируя свое поведение, он пытался понять, почему он так поступил. Это бесчувственность или поза? Это манера поведения или бессовестный эгоизм? Самого себя он успокаивал тем, что некрасиво преследовать женщину, если она не хочет с ним разговаривать. А может, иногда нужно ее преследовать. Может, в тот момент она хотела, чтобы он ее догнал, попытался объяснить, остановил. Но он этого не сделал. В будущем он доведет эту черту своего характера до абсурда, когда никогда не будет перезванивать своим знакомым женщинам. Может, это будут последствия и той встречи в Мангалии.

Он вернулся в свой номер, чтобы собрать вещи. Вышел на балкон. Отовсюду доносились веселые крики отдыхающих. Он взглянул на море. Странно, что он не очень любит купаться в море. Хотя он вырос у моря, родился в Баку. Он любит сидеть у моря, любит наблюдать за ним, размышлять рядом с ним, отдыхать. Так получилось, что он видел все четыре океана, существующие на земном шаре. Океаны были разные. Добрые, грозные, холодные, теплые, потрясающие своей мощью и размерами. Но хороший горячий душ нравился ему куда больше купания в море. Может, потому, что подсознательно он помнил о невозможности контролировать ситуацию в море так, как в собственной ванной.

Дронго вернулся в комнату. Разделся. Лег на кровать. Как неловко получилось с Ириной, подумал он. Она серьезно обиделась. Но он не виноват, что похож на человека, который ей когда-то нравился и с которым она не смогла связать свою жизнь. Он не виноват, что не сложилась ее семейная жизнь. Он вообще ни в чем не виноват. Но легко себя успокаивать подобными словами. А на самом деле? Он ведь с самого начала видел, как она нервничает, как ведет себя не совсем адекватно. При первой встрече она разделась с видимым усилием. Было очевидно, что подобные интрижки не для нее. Было понятно, что в ее жизни было не так много мужчин. Это чувствовалось.

И все-таки он виноват. Нужно было как-то иначе попытаться объясниться с ней, попытаться успокоить ее, понять состояние женщины. А он начал говорить глупости и еще вспомнил про свою предстоящую встречу с Дершовицем. Какое отношение имеет его возможное противостояние к судьбе Ирины? И почему он позволяет себе вести себя таким образом? Ему захотелось встать, одеться и пройти в ее корпус, чтобы извиниться за сегодняшний вечер. И за предыдущую ночь. Он вел себя достаточно деликатно, но как искусный ловелас. Он получал удовольствие и наслаждался удовольствием, которое доставлял женщине. Ее душа в этот момент интересовала его гораздо меньше ее тела. Может, мы все, мужчины, такие скоты, с отвращением подумал Дронго. И в этот момент в дверь постучали.

Он подошел и открыл дверь, почти уверенный в том, что это может быть только она. Он словно ее почувствовал, понял, что в эту ночь она просто не хочет оставаться одна. Не хочет уехать отсюда после такого прощания. И сегодня ей нужны не кувыркания в постели, а его забота, его нежность, его понимание. Он открыл дверь. На пороге стояла Ирина.

— Я подумала, что была не права, — тихо произнесла она, — не нужно нам было ссориться. И прощаться так глупо не нужно. Я попыталась взвалить на тебя все свои заботы. Загрузить своими проблемами. Это было неправильно.

Он молча посторонился, и она вошла в комнату.

— Ты можешь делать со мной все, что тебе нравится, — предложила Ирина, — сегодня я пришла к тебе за удовольствием... Возможно, ты прав, нужно жить одним днем, одной ночью.

— Не нужно, — поднял он руку, — ничего не говори. Давай договоримся, что на сегодняшнюю ночь мы просто друзья. У нас много времени впереди. Мы можем так много рассказать друг другу.

Она улыбнулась. Потом они действительно много и долго говорили. Обо всем и ни о чем. Рассказывали друг другу какие-то детские наблюдения, впечатления, рассказывали о своих привычках. В такую ночь человек может открыться и узнать гораздо больше о своем партнере, чем за обычные десять или двадцать лет. Конечно, им не удалось соблюсти полный «нейтралитет». Под утро они занялись сексом. Это было как необходимое условие перед их прощанием. Потом они тепло попрощались. Она поцеловала его в щеку, он поцеловал ее в голову. Они оставили друг другу свои адреса и телефоны. Тогда еще не было мобильных. И оба потеряли эти бумажки уже через несколько дней. И она ушла, чтобы увидеться с ним только через двадцать с лишним лет. Уже в другой стране и в другой обстановке.

**День первый.
ВОСПОМИНАНИЯ**

Давид Георгиевич смотрел на сидевшую перед ним Ирину и все еще не верил своим глазам. Неужели эта красивая элегантная женщина та самая девушка, с которой он встречался почти четверть века назад?

— Ты сейчас свободна? Или у тебя есть друг? — поинтересовался он.

— Опять твое мужское «эго», — усмехнулась она, — заметь, что я не спрашиваю, есть ли у тебя подруга. А тебе интересно, с кем я сейчас встречаюсь.

— Может, потому, что это я хочу с тобой встречаться, а не ты со мной. Ты пока не ответила на мое предложение.

— Мы не виделись столько лет, — напомнила Ирина. — Все не так просто, Давид. Мы изменились за эти годы, и сильно изменились. У меня своя жизнь, а у тебя своя. У меня уже взрослая дочь.

— Я слышал, что ты тогда родила, — кивнул Давид, — вышла замуж и родила девочку. Не звонил еще и поэтому. Когда у тебя счастливая семья, другой не должен мешать.

— Ты же знал Викентия, за которого я потом вышла замуж, — возразила Ирина, — и должен был представлять, насколько он мне не нравился. Но ты сделал вид, что все так и должно быть.

— Если бы ты его не любила, то не вышла бы замуж, — разозлился Давид, — теперь легче всего сделать виноватым меня. Вышла замуж за нелюбимого человека. А нужно было выходить за любимого. Дождаться меня, а не выходить за это ничтожество. Но у тебя не было времени.

— У меня не было времени, — кивнула она, — и знаешь почему? Я ждала ребенка, Давид. Твоего ребенка. Когда ты ругался со мной на нашей лестничной клетке, я думала не столько о разговоре с тобой, сколько о твоем ребенке, который был у меня под сердцем.

— Какой ребенок? — не понял ошеломленный Давид. — О чем ты говоришь? Ты родила ребенка от меня? Почему ты мне ничего не говорила? Столько лет!

— Что я должна была сказать? Ты вспомни, какой я была. Девочка из интеллигентной московской семьи. Я встречалась с парнем, который мне нравился. И когда ты пришел ко мне, убежденный в своей правоте, решивший уехать в Новосибирск, я посчитала невозможным удержать тебя таким примитивным способом, шантажируя тем, что я уже в интересном положении. К тому же я была на втором месяце и еще ни в чем не была уверена. А потом ты уехал...

— Что ты наделала! — Он поднялся со своего места, лихорадочно прошелся по комнате. — Как ты могла скрывать от меня такую новость. Ты совсем сошла с ума. И все эти годы ты молчала. Значит, у тебя есть дочь от меня? Моя дочь?

— Это не твоя дочь, Давид, — холодно возразила Ирина, — я вышла замуж за Викентия. И родила через шесть с половиной месяцев. Мужу я сказала, что это был недоношенный ребенок. Он был настолько счастлив, что не задавал никаких вопросов. Но больше я не могла рожать. У меня были сложные роды. И у девочки тогда появилась фамилия Викентия. И его отчество. Поэтому никто не узнал, что это твоя дочь. Даже мой отец. Только мама знала о том, что со мной случилось на самом деле.

— Как ты могла? — Он остановился, взглянув на нее. — Как ты могла? Не сказала мне ничего. Обманула меня, своего отца, своего мужа. Как ты могла?

— Что я должна была делать? — спросила Ирина. — Броситься за тобой и умолять тебя жениться на мне? Не забывай, что я была совсем молодой. И конечно, я растерялась. Врачи сказали, что аборт делать нельзя. А Викентий был рядом, он каждый вечер приносил мне цветы. Я даже думаю, что он чувствовал мое состояние. Возможно, узнал, что ты уехал. Ни для кого не было секретом, что мы с тобой встречались. Викентий наверняка знал от наших общих знакомых, что ты уехал в Новосибирск, и решил использовать свой шанс. К тому же у моего отца в это время случился гипертонический криз. Я не хотела его огорчать. Он бы не поверил, что я жду ребенка, зачатого вне брака от парня, который меня бросил...

— Я тебя не бросал, — перебил ее Давид.

— От парня, который меня бросил, — упрямо повторила Ирина, — и поэтому я вышла замуж за Викентия. А потом... Потом случилось то, что должно было случиться. Нельзя строить свое счастье на обмане. И нельзя выходить подобным образом замуж. Это я теперь понимаю. Чтобы не остаться одной, чтобы не рожать незаконнорожденного ребенка, в Советском Союзе это был такой неслыханный позор, особенно учитывая известность моего отца, чтобы не добивать, в конце концов, моего отца. Возможно, в тот момент я хотела доказать тебе, что не пропаду без тебя. Сейчас понимаю, что и такие мысли могли у меня быть. Но все равно глупо. Стыдно и глупо. Я поэтому всегда жалею Викентия, стараюсь к нему нормально относиться. Викентий был хорошим мужем, и он менее всего виноват в случившемся. Мы прожили два года, но второй год мы почти не жили вместе. Он был мне даже физически неприятен. Сейчас у него все нормально. Он снова женился, у него растут близнецы, чудесные мальчишки, с которыми мы очень дружим. Но ни он, ни его родители так никогда и не узнали, от кого я родила свою дочь. Они ее обожают, считая своей внучкой.

— Я не представляю, как ты могла молчать все эти годы, — вздохнул Давид. Он подошел к столу и снова плеснул себе виски. Выпил. Уселся на свое место. — Столько лет, — произнес он с сожалением, — потерять столько лет. Но почему ты молчала потом? Почему не нашла меня, когда я вернулся в Москву, почему не позвонила мне?

— Не знаю. — Она опустила голову, подумала. И неожиданно сказала: — Да нет. Знаю. Знаю, почему не звонила. Я почти сразу решила развестись с Викентием. Было стыдно, что я использую его в качестве прикрытия своего греха. Вот так высокопарно и гордо. А потом я случайно встретила одного человека. Очень похожего на тебя. Вполне самодостаточного, гордого, независимого. У нас была с ним случайная встреча. Вернее, три встречи, только три встречи. Но он во мне что-то перевернул. Как-то незаметно поставил меня на место. С самого начала он дал понять, что это всего лишь обычная мимолетная встреча двух людей. Мужчины и женщины. У него было какое-то другое понимание жизни. Отличное от моего. И я подумала, что ты так же относился ко мне. И успокоилась. Я ушла от мужа и стала заниматься своей карьерой. Но специально оставила его фамилию как напоминание о моей ошибке. Кроме того, я хотела все начать с нуля. Чтобы меня никто не знал и не вспоминал, ведь фамилию моего отца знала вся Москва. И я стала журналисткой Ириной Миланич. Под этой фамилией я могла публиковать любые материалы, писать о чем угодно, брать любые интервью и готовить самые раскованные репортажи. Меня никто не узнавал.

Это было все, что мне осталось от первого мужа. А дочери я позже дала фамилию своего отца.

Она замолчала. Немного подумала и продолжала:

— Потом у меня появился друг, который был старше меня лет на пятнадцать. Он тоже мне многое дал, был интересным и веселым человеком. Мне было с ним легко. Но он был женат, и наши встречи были с привкусом горечи. В них было нечто от украденного счастья. Затем был мой датчанин, за которого я вышла замуж и о котором тебе говорила. И теперь я одна. У меня есть друг, если тебя интересует моя сексуальная жизнь, но по жизни я одна. И ты знаешь, меня даже устраивает подобное положение вещей. Я ни от кого не завишу, живу своей жизнью. У дочери своя жизнь, она переехала два года назад в однокомнатную квартиру, которую я ей купила. Она решила, что так будет более правильно. Я не возражала, вспоминая, как мы с тобой встречались на нашей даче и с какими пересадками мы туда добирались. В общем, все нормально, жизнь удалась, как говорят в таких случаях.

Чхеидзе всплеснул руками:

— А если бы я не вернулся? Если бы еще двенадцать лет не приезжал в Москву? Или никогда бы сюда не вернулся? Ты бы мне так ничего и не сказала? Неужели ты не понимаешь, насколько... глупо и нечестно ты поступила.

— Глупо, возможно. А нечестной я была только с собой. И может быть, отчасти с Викентием. Но не с тобой, Давид. Ты сам выбрал свой жизненный путь. Ушел от меня, не желая меня даже слышать. И я видела, что не смогу тебя удержать. А жаловаться или плакать мне не хотелось. Я была иначе воспитана.

— Где моя дочь? — поднялся Чхеидзе. — Я должен ее увидеть.

— Ты ее увидишь, — улыбнулась Ирина, — но только завтра. Сегодня уже достаточно поздно.

— Как ее зовут? — спросил Давид Георгиевич.

— Завтра, — пообещала она, — все узнаешь завтра. Тебе лучше сегодня отдохнуть. У тебя столько событий произошло за сегодняшний день. Приезд в Москву, встреча с этой цыганкой, твои переговоры, ее предсказание, авария. И наша встреча. По-моему, на один день более чем достаточно. Тебе нужно отдохнуть и немного поспать. А завтра мы с тобой обязательно увидимся.

— Красивая форма отказа, — мрачно заметил Давид, — я думал, что ты останешься сегодня у меня.

Она поправила очки. Усмехнулась:

— Ты неисправим. Все такой же упрямый мальчишка, каким был тогда.

— Я прошу тебя остаться, — сказал он, — и учти, что если цыганка права, то у меня осталось только два дня. Или два вечера. Или две ночи. А потом меня все равно убьют. Не знаю, кто и зачем, но если цыганка сказала, значит, так оно и будет. Может, поэтому тебе нужно остаться сегодня здесь. Хотя бы из жалости.

— Из жалости не останусь, — возразила Ирина, — прошло столько лет, Давид. Я даже не представляю, какими мы теперь стали. И немного смешно. Сколько тебе лет? Уже сорок пять. А мне будет сорок четыре. Немного поздновато для романтических встреч, ты не находишь?

— Хватит делать из нас стариков, — поднялся со своего места Давид. Он подошел к ней, провел рукой по ее шее. Наклонился и поцеловал ее в голову. Она вздрогнула, вспомнив другой поцелуй в голову. Тогда, в Мангалии. Но ничего не сказала ему.

— Я хочу, чтобы ты сегодня осталась у меня, — попросил он, наклоняясь к ней.

Она замерла. За эти годы она не забыла его ласки, его прикосновений. Мужчина может забыть свою первую женщину. Женщина никогда не забудет своего первого мужчину. Они просто по-разному устроены.

— Нет, — сказала она, словно освобождаясь от гипноза. И задержала его руку в своей. — Не нужно. Прошло столько лет. Как говорили древние? Нельзя дважды войти в одну реку. Не нужно, Давид.

Он убрал руку. Отошел от нее.

— Наверное, ты права. Нельзя вернуться обратно в Советский Союз, в наше прошлое. И нельзя вернуть нашу молодость. К тому же я уже приговорен своей цыганкой, и тебе необязательно снова испытывать душевные потрясения от потери очередного друга.

— Не говори глупостей, — возразила Ирина, — с тобой ничего не случится. Не нужно верить этой цыганке. Твоя авария была случайной, и ты сам об этом знаешь.

— Она тоже знала, что авария будет случайной. — Он подошел к окну. — Как-нибудь переживу. Мне даже интересно, кто именно и почему захочет меня убить.

— У тебя такая охрана, — снова возразила она.

— Она не поможет. Против судьбы охрана бессильна. К тому же они обычные парни без мозгов и с накачанными мускулами.

— Тебе нужен хороший частный детектив, — сказала Ирина, — настоящий профессионал.

— Для чего? Он тоже не сможет помочь. Это судьба, Ирина, от нее трудно укрыться, даже прибегнув к помощи профессионала.

— Подожди. Не нужно хоронить себя раньше времени. — Она поднялась и подошла к нему. — Я слышала, что есть специалист, который может решать любые вопросы. Я про него много читала. И даже была с ним знакома. Правда, с тех пор прошло много лет. Но он может меня вспомнить. И может быть, захочет с тобой встретиться. Поговори с ним, и, возможно, он сумеет каким-то образом тебя уберечь.

— Как его зовут? Кто он такой?

— Я помню его настоящее имя. Но теперь его все называют Дронго. Он очень известный эксперт в этой области. Я все время думала, что однажды смогу ему позвонить и попросить его о подобной помощи. Но мне придется найти номер его телефона, а это достаточно нелегко.

— Он твой знакомый, и ты даже не знаешь номера его телефона? — улыбнулся Чхеидзе. — Тебе не кажется, что мы напрасно полагаемся на подобного специалиста? Гораздо лучше, если я просто подожду, пока здесь появится мой будущий убийца.

— К тому времени будет уже поздно, — возразила Ирина, — нужно хотя бы попытаться тебе помочь. Я постараюсь его найти. А сейчас проводи меня. Я не останусь здесь. Просто не смогу. Извини.

166

Он смотрел, как она забирает свою сумку, чтобы выйти из номера. Подошел к ней.

— Когда мы увидимся? — спросил Давид.

— Завтра, — пообещала она, — я постараюсь найти тебе специалиста, о котором говорила. Будет даже интересно. Вы чем-то похожи. И внутренне, и внешне. Между прочим, он тоже кавказский мужчина. И вы легко поймете друг друга. До свидания. Проводишь только до дверей, дальше необязательно.

Он криво усмехнулся. Но вышел вместе с ней в коридор. Там уже сидели двое охранников. Увидев Чхеидзе, они сразу поднялись. Он не обратил на них никакого внимания. И пошел провожать Ирину. Они спустились вместе с охранниками. Прошли через холл на улицу. У здания отеля стояла ее припаркованная машина. Это был «пятисотый» «Мерседес». За рулем ожидал молодой водитель. Чхеидзе вспомнил, что она не говорила об ожидавшем ее водителе. Значит, она приехала сюда, уверенная в том, что не останется с ним. Иначе она бы отпустила водителя. Давид подошел к машине и сам открыл ей дверцу автомобиля. Но она покачала головой.

— Нет, — улыбнулась Ирина, — не туда.

Водитель вышел из машины, уступая ей место. Он почтительно ждал, когда она сядет за руль.

— Я люблю сама водить машину, — пояснила Ирина, — а этот парень, мой водитель, ждет меня, пока я куда-то отлучаюсь. В Москве сейчас опасно оставлять без присмотра свой автомобиль. И он выполняет мои мелкие поручения.

— Ты невероятная женщина, — сказал с восхищением Чхеидзе.

Она уселась за руль. Молодой человек обошел машину и сел рядом с ней. Давид подумал, что этот парень очень симпатичный и ловкий. В нем проснулась ревность. Неужели она может спать со своим собственным водителем? Или для этого она слишком умна?

— До свидания, — сказала она на прощание, — я завтра тебе обязательно позвоню.

Автомобиль плавно отъехал. Чхеидзе проводил его долгим взглядом. И, повернувшись, пошел обратно в отель. В холле стояла Лиана. Она взглянула на своего босса.

— Ваша гостья уехала? — уточнила Лиана.

— Да, — кивнул он, не оборачиваясь. Охранники спешили за ним.

— Я вам нужна? — спросила Лиана.

— Да, — снова кивнул он, входя в кабину лифта. Она последовала за ним, и один из охранников посторонился, чтобы пропустить ее в лифт.

День третий.
РЕАЛЬНОСТЬ

— Вы сказали мне, что, возможно, ваша встреча с Ириной была прелюдией к некой трагедии, — напомнил Дронго. — Почему трагедии? И еще один вопрос. Чем занимается ваша сестра? Или мама? Кто-то из них был музыкантом?

— Да, — удивленно ответил Чхеидзе, — моя мама была преподавателем музыки в школе. А почему вы спрашиваете?

— Вы использовали слово «прелюдия», и мне было интересно, где вы слышали это слово.

— Вы, очевидно, считаете меня необразованным тупым миллионером? Из тех, кто носил в начале девяностых золотые цепи и малиновые пиджаки? — спросил Чхеидзе. — Не забывайте, что я закончил МВТУ имени Баумана. Это был один из лучших вузов не только нашей страны, но и всего мира. И до сих пор таким остается.

— Я не хотел вас обидеть. Но мне показалось, что вы используете слова, которые не раз слышали. А это могло быть только в вашем детстве. Но почему прелюдия к трагедии?

— Ирина сообщила мне, что у нас есть уже взрослая дочь, — глухо ответил Чхеидзе, — я даже сначала не поверил. Она столько лет молчала. А вы знаете, что у нее есть взрослая дочь? Вы ее

169

видели? — Он все еще хотел убедиться, что сидевший перед ним мужчина никогда не был в интимных отношениях с матерью его дочери.

— Нет, — ответил Дронго, — я же вам сказал, что мы с ней случайно познакомились и почти не общались. Разумеется, я не видел ни ее дочери, ни кого-либо из ее семьи. И ничего об этом не знал.

— Странно, — нахмурился Давид Георгиевич, — я думал, что она говорила про вас. Она рассказала мне, что, после того как развелась с мужем, у нее была встреча с мужчиной, похожим на меня. Я думал, что это вы...

— Что именно она сказала?

— Она пересмотрела некоторые свои взгляды после знакомства с ним. Наверное, был кто-то другой, — продолжал Чхеидзе, — я у нее спрашивал, но она не отвечала.

Дронго уже понимал, что все произошло именно с ними. Она говорила ему тогда об этом человеке. О Давиде Чхеидзе, который был ее первым мужчиной, в которого она влюбилась будучи студенткой. Но она не сказала тогда, что ребенка родила именно от него. Дронго был уверен, что дочь она родила от своего мужа. Вот почему она все время вспоминала Давида. Он был отцом ее ребенка. И он ее бросил, когда она была в положении. Теперь многое становилось понятным.

— И вы считаете, что это трагедия? — уточнил Дронго. — По-моему, нужно радоваться, что у вас в этом возрасте появилась уже взрослая дочь.

— Я обрадовался. Очень обрадовался. И одновременно очень огорчился. Она уже взрослая женщина, а я случайно узнал об этом. Такая глупость. Ведь Ирина знала, что я вернулся в Москву, занимался бизнесом, но никогда меня не искала. Вместо этого встречалась с какими-то другими мужчинами.

— Возможно, вы тогда своим разрывом причинили ей боль и она не хотела повторения подобных душевных потрясений. А может, вообще не хотела с вами встречаться. Она достаточно гордый и независимый человек.

— Я тоже об этом думал, — согласился Чхеидзе, — в общем, она сообщила мне про дочь, и на следующий день моя дочь приехала ко мне. Вы даже не представляете, как я волновался. Как никогда в жизни. Я привык общаться с молодыми и красивыми женщинами, но не мог даже представить себе, что у меня есть уже взрослая дочь. Я выглядел так глупо, что самому становится смешно.

— И все-таки почему трагедия?

— Дочь узнала обо мне только в последнюю ночь перед нашим знакомством. Мать никогда не говорила ей обо мне. Это было хуже всего. И, судя по ее поведению, она не собиралась прощать мне самого факта многолетнего отсутствия. Вот такая нехорошая история. Она всегда чуточку презирала своего приемного отца, считая, что мать не должна была выходить замуж за это ничтожество. И всегда росла с неким комплексом неполноценности из-за этого. Фактически она выросла без отца. И вдруг в двадцать с лишним лет она узнает, что у нее есть отец. Известный миллионер и бизнесмен, который столько лет даже не звонил своей дочери и не появлялся рядом с ней. Объяснить, почему ее мать скрывала от настоящего отца сам факт рождения ребенка, было невозможно. Она обижена и на свою мать, и на меня. Я даже думаю, что Ирина не стала бы говорить дочери обо мне, если бы не это предсказание цыганки. Возможно, Ирина тоже в него отчасти поверила. И решила познакомить нас до того момента, когда меня убьют.

— И вы меня позвали, чтобы я предотвратил ваше возможное убийство, — уточнил Дронго и, получив утвердительный ответ, спросил: — За эти два дня у вас были другие посетители?

— Один раз приезжал Самойлов. И еще один раз я ездил в прокуратуру. Больше ни с кем я не общался. Ирина, моя дочь, приехавшие со мной люди — Гюнтер и Лиана. Больше никого я не видел.

— Тогда почему вы считаете, что опасность настолько велика?

— Я вам поясню. Когда два дня назад ко мне пришла Ирина, я открыл бутылку виски. Ее принесли мне из ресторана. И мы выпили. Она меньше, я больше. Бутылка стояла все время на столике. Сюда входили только Ирина, моя дочь, Лиана, Гюнтер и Самойлов. Когда убирала горничная, в комнате находились охранники, и поэтому их я не подозреваю. Бутылка стояла на столике. Когда сегодня утром, перед завтраком, я налил себе немного виски, меня стошнило. Я успел добраться до ванной комнаты, и меня вывернуло наизнанку. И тогда я испугался по-настоящему. Получается, что кто-то из оказавшихся здесь людей хотел меня отравить. Сбывается предсказание цыганки. Меня хотят убить, и сегодня вечером заканчиваются вторые сутки.

— Какой мотив? Вы можете сформулировать мотив преступления? Зачем вашим близким людям травить вас?

— Мотивы могут быть разные, — вздохнул Чхеидзе, — мотив Ирины понятен. Я бы удивился, если бы она мне все простила. Ведь я тогда показал себя бесчувственным негодяем, фактически оставил женщину в интересном положении. И хотя я не знал, что она ждала ребенка, это меня не оправдывает. Никак не оправдывает.

Своим решением я подтолкнул ее к первому замужеству. Она не смогла простить мне двух лет жизни с Викентием, которого я, на свою голову, тоже неплохо знал. Он был слизняк. Ни мясо ни рыба. Я даже не мог бы в страшном сне себе представить, что она выйдет за него замуж. Я даже думаю, что она испытывала к нему в постели чисто физическое отвращение. Вот вам и мотив: ее загубленная жизнь.

— Вы подозреваете только ее?

— Не только. Моя взрослая дочь достаточно умная и рассудительная. Она тоже не простит моего длительного отсутствия и появления из небытия. К тому же она может стать единственной наследницей в случае моей смерти. Очень богатой и независимой. Учитывая, что матери она тоже не прощает долгое молчание, у нее есть все причины для того, чтобы меня по-настоящему ненавидеть. И пытаться уйти от опеки своей матери.

— Только двое?

— Не только. Есть еще третья женщина. Мой личный секретарь. Лиана. Она... она... в общем, у нас с ней особые отношения. Вы понимаете, о чем я говорю. Вы же ее видели. Она всегда рядом со мной, всегда, в поездках по всему миру. Трудно было предположить, что между нами ничего не будет. Она просто незаменимый человек для меня в подобных вопросах. Во всех бытовых вопросах.

— Вы с ней спите? — прямо спросил Дронго.

— Только по обоюдному согласию, — признался Давид, — я никогда не давил на нее, используя свое положение.

— В Америке суд присяжных не принял бы во внимание подобное объяснение и приговорил вас за сексуальные домогательства к солидному тюремному сроку, — заметил Дронго.

— Слава богу, что в Америку я ее не беру, — улыбнулся Чхеидзе, — но в общем она не просто толковый, но и достаточно разумный человек. Про Ирину я ей сам все рассказал. Про дочь она узнала сама. И поняла, что у нее почти не осталось шансов. Возможно, она рассчитывала на нечто большее, чем просто оставаться моим личным секретарем. Ей уже тридцать два, в этом возрасте европейские женщины начинают думать о своей семье. Но тут появилась моя взрослая дочь. По-моему, Лиана меня ревнует. И к Ирине, и к моей дочери.

— И на этом основании она решила вас убить?

— Не знаю. Но у нее было достаточно времени, чтобы отравить содержимое бутылки.

— Только трое. Или есть еще кто-то?

— И двое мужчин. Менее всего я подозреваю мужчин. Но должен перечислить всех, кто здесь был. Самойлов заменил Касаткина, он очень неплохой специалист, но, конечно, не тянет на президента. В случае моей смерти он потеряет очень многое. И ничего не приобретет. Так я думал до вчерашнего дня. А потом понял, что моя смерть будет самым лучшим подарком именно для Самойлова. Насчет Гюнтера Вебера я не уверен. Он даже не знает русского языка. В случае моей смерти он лишится хорошей работы. Возможно, Вебер единственный, кто действительно вне подозрений. Хотя, как бывает обычно в детективных романах: вызывающий наименьшие подозрения субъект становится преступником. Но видимых мотивов я все равно не нахожу. Вот, собственно, и все.

— Пять человек, — подвел итог Дронго. — А бутылку вы отправляли на экспертизу?

— Еще не успел. Я никому не говорил о случившемся. Зачем радовать возможного убийцу? Мне повезло, что в стакане было слишком много кубиков льда. Они разбавили виски. Я оставил стакан на столе и говорил по телефону. Кубики льда за это время растаяли. И когда я выпил, вполне возможно, что там была уже другая концентрация яда. Поэтому я и остался жив.

— Может, вы дадите мне эту бутылку и я ее проверю, отправив в лабораторию, — предложил Дронго.

— Нет, — возразил Чхеидзе, — так нельзя. Завтра утром я приглашу всех пятерых и налью виски из другой бутылки, поменяв ее содержимое с этой. И посмотрю, кто и как будет пить. Если кто-то откажется выпить, мы будем точно знать, кто именно хотел меня отравить.

— Тогда зачем вы нашли меня?

— Чтобы вы мне помогли. Возможно, что завтра кто-то откажется выпить. Тогда мне придется вызывать милицию или прокуратуру, а вам подтвердить мои подозрения. У меня должен быть свидетель, а ваша репутация известного эксперта поможет мне убедить следователя в моей правоте.

— Понятно. И бутылку вы мне сегодня не дадите?

— Только завтра. Я должен лично убедиться.

— Хорошо. Тогда завтра я к вам приеду. В котором часу вы просыпаетесь?

— Поздно. Достаточно поздно. К тому же сегодня я все равно не смогу заснуть. Давайте к одиннадцати. Я вас буду ждать.

— Договорились. Лиана ночует в вашем номере?

— Обычно нет. Но в первую ночь после аварии, когда уехала Ирина, она осталась у меня. Я сам попросил.

— Последний вопрос. Почему, говоря о Самойлове, вы сказали, что до вчерашнего дня вы были уверены в том, что ваша смерть ему не нужна? Почему вы изменили свое мнение?

— В этом все и дело, — ответил Чхеидзе, — вы даже не можете себе представить, до какой степени все переплелось и запуталось. Сейчас я вам объясню. Дело в том, что Лиана осталась у меня на ночь. А утром ко мне пришла моя дочь...

День второй.
ВОСПОМИНАНИЯ

После отъезда Ирины они поднялись в его апартаменты. Чхеидзе прошел в ванную комнату. Лиана молча разделась. У них давно были подобные отношения. Дружеско-деловые, или интимно-деловые. Они никогда не говорили о серьезных проблемах в постели. Давид никогда не настаивал на своем особом праве, никогда не приставал к ней с подобными непристойными предложениями. На службе их отношения были ровными и выдержанными. Со стороны никто бы и не подумал, что они могут быть в интимных отношениях друг с другом. Лиана была достаточно разумным человеком, чтобы не выдавать своих особых отношений с руководителем, а Чхеидзе просто не позволял себе ничего лишнего на работе, понимая, что может подать плохой пример остальным сотрудникам своей компании.

Все получилось достаточно спонтанно и просто. Они вместе принимали участие в какой-то веселой вечеринке, на которую их пригласил один из сотрудников компании. Обратно они возвращались вместе. Когда подъехали к дому Лианы, она предложила выпить кофе. У обоих было хорошее настроение, они выпили в тот день изрядное количество алкоголя. Давид поднялся к ней. На кухне они столкнулись, и дальше все получилось как-то естественно, без ненужных разговоров. Они поцеловались. Потом занялись сексом. Через полтора часа он уехал к себе домой. На следующий день они старались не смотреть друг другу в глаза. А через неделю они выехали в Женеву, и поздно вечером она сама постучалась в его номер. С тех пор они почти всегда выезжали вместе, но на работе он не позволял себе никаких вольностей, никаких отклонений от общепринятых норм поведения, даже когда они оставались одни.

Пока он был в ванной комнате, она разделась и аккуратно повесила свою одежду в шкаф. Нижнее белье она сложила на стуле, рядом с кроватью, и легла в его большую двуспальную постель. Он вышел из ванной, прошел к постели, лег рядом с ней. Она протянула руку, дотрагиваясь до его ноги.

— Нет, — произнес Давид, — ничего не нужно. Просто спокойно лежи. И я тоже полежу. Мне сейчас нужно подумать.

Она убрала руку. Так они и лежали минут двадцать, глядя в потолок.

— Ты знаешь, Лиана, — неожиданно произнес Чхеидзе, — у меня, оказывается, есть взрослая дочь.

Она изумленно взглянула на него.

— Какая дочь? — спросила Лиана. — От кого?

— От Ирины. — Он по-прежнему смотрел в потолок, словно надеясь там что-то увидеть. — Она сегодня мне рассказала. Только сегодня. Столько лет молчала. Оказывается, у нее дочь от меня. А я думал, что она родила от своего первого мужа.

— Сколько лет вашей дочери? — Лиана смотрела на него широко раскрытыми глазами. Для нее подобная новость тоже была большой неожиданностью.

— Больше двадцати. Вот такие у нас дела. А я все эти годы даже не знал, что где-то в Москве у меня растет дочь.

— Может, это не ваша дочь, — спокойно заметила Лиана, — прошло столько лет. Ни в чем нельзя быть точно уверенным. Она знает, какой вы богатый и известный человек. Возможно, она хочет воспользоваться этим обстоятельством.

— Глупости, — лениво перебил ее Давид, — зачем ей пользоваться, если она даже не захотела у меня остаться. Я ей предлагал, она отказалась.

Знаешь, сколько она сейчас зарабатывает? Около четырехсот тысяч долларов в год. Зачем ей мои деньги? Это явно не тот случай. И она сказала правду. Она такой человек, который не будет так просто лгать. Она и тогда не стала мне ничего говорить, хотя могла бы заставить меня остаться.

— Разумная женщина. — Лиана не стала обижаться на то обстоятельство, что он предложил остаться здесь своей прежней знакомой. А когда она отказалась, решил позвать ее, Лиану. Она привыкла не обижаться на подобное поведение своего босса. В конце концов, у них не было никаких обязательств друг перед другом. Она тайно встречалась со своим молодым другом, живущим в Цюрихе, стараясь не афишировать подобную связь. Знакомый был моложе Лианы на восемь лет и работал всего лишь в службе экспресс-доставки. Но он был красив, силен и обладал неистовым темпераментом.

— Ничего не разумная, — зло ответил Чхеидзе, — столько лет молчала. Сломала себе жизнь и испортила жизнь мне. Нужно было рассказать мне все еще тогда, и мы бы сейчас были вместе...

Лиана промолчала. Она никогда с ним не спорила, предпочитая в подобных случаях молчать.

— Завтра наша дочь приедет сюда, чтобы со мной познакомиться, — вздохнул Давид, — через столько лет. Я даже не знаю, что ей скажу. Наде-

юсь, что она будет хотя бы симпатичной девушкой. Но может быть и не очень симпатичной. Хотя Ирина в молодости была красивой. Она и сейчас красивая. Как ты думаешь?

— Да, — сдержанно согласилась Лиана, — она
и сейчас красивая.

Давид даже не понимал курьезности момента:
он обсуждал красоту своей бывшей пассии с го-
лой женщиной, лежавшей в его постели.

— Вы не поужинали, — напомнила ему Лиана.

— Она не стала ужинать. Ну и я тоже не захотел. Она бережет фигуру. — Чхеидзе вздохнул. —
У меня взрослая дочь. Я даже не знаю, о чем я с
ней буду завтра говорить. Если бы не Ирина, я бы
никогда не поверил, что у меня есть дочь. Но она
лгать не станет. Не тот характер.

Он снова тяжело вздохнул. Затем поднялся,
подошел к мини-бару, вытащил небольшую бутылку минеральной воды и залпом ее выпил. Затем вернулся обратно в постель.

— Нужно было уговорить ее остаться, — сказал он, словно обращаясь к самому себе.

Лиана снова не обиделась. Она только отвернулась, чтобы не смотреть на него. Отвернулась и
случайно задела его ногой. Он посмотрел на ее затылок. У нее были роскошные волосы, красивое
тело. В конце концов, еще неизвестно, как бы
Ирина вела себя в постели, вдруг с ожесточением

подумал он. Лежит рядом с молодой красавицей и сожалеет о женщине, которая лет на пятнадцать ее старше. Как глупо. Он протянул руку и дотронулся до плеча Лианы. Она напряглась, но не стала к нему поворачиваться. Он приподнялся, повернул ее к себе.

— Я, наверно, иногда бываю грубым и не очень деликатным, — признался Давид, — ты не обижайся. Просто все навалилось на меня сразу. И наш перелет, и мои воспоминания, и эта авария. А еще в сорок пять лет я узнал, что у меня есть взрослая дочь. Хорошо, что я сегодня вообще с ума не сошел.

— У вас не болит нога? — спросила она, демонстрируя свою заботу.

— Во всяком случае, она мне не мешает, — улыбнулся он, наклоняясь к ее шее и вдыхая аромат ее тела.

Она спокойно лежала, позволяя ему целовать ее. Он отбросил одеяло и начал спускаться все ниже и ниже. Неожиданно он вскрикнул. Она подняла голову.

— Что случилось? — спросила Лиана.

— Бок болит, — поморщился он, хватаясь за правый бок, — удар был довольно сильным.

— Вам сделали снимок. У вас все в порядке, — возразила Лиана, — но, если нужно, завтра поедем еще раз в больницу.

— Ничего не нужно, — он снова лег на спину, тяжело дыша, — это последствия сегодняшней аварии. Все в порядке. Я сейчас немного отдышусь и приду в себя.

— Лежите, — сказала она, поднимаясь, — я сама все сделаю. И не нужно двигаться. Сегодня мне можно, я посчитала...

Он не любил предохраняться. И она заранее предупреждала о своих «критических днях». Давид равнодушно кивнул. Он принял к сведению ее информацию. Она наклонилась, чтобы поцеловать его в грудь, и он почувствовал на себе копну ее пышных волос. На часах было около четырех, когда они наконец уснули.

Утром в дверь постучали. Лиана открыла глаза, взглянула на часы. Десять минут двенадцатого. В коридоре должны быть двое охранников. Кто посмел так рано их побеспокоить? Она нахмурилась. Чхеидзе тоже проснулся, прислушиваясь к осторожному стуку.

— Кто это? — недовольно спросил он. — Зачем нужно нас будить?

— Не знаю, — ответила она, — я сейчас все проверю. — Она поднялась, прошла в ванную комнату, накинула на себя банный халат и прошла к входной двери. На пороге стоял с виноватым видом Гюнтер Вебер.

— Что случилось? — спросила по-немецки

Лиана. — Почему ты стучишься? Ты разве не знаешь, что босс спит?

Гюнтера не смутил ее вид в халате. Он знал об особых отношениях шефа и Лианы. Но он был, пожалуй, единственным, кто об этом знал.

— Извини, — пробормотал он несколько сконфуженно, — внизу приехала молодая женщина. Она говорит, что у нее важное дело к нашему боссу. Сказала, что он сам назначил ей время.

«Наверно, его дочь», — подумала Лиана.

— Она не сказала, по какому вопросу?

— Нет. Но сказала, что герр Чхеидзе все знает сам.

— Подожди, — вдруг вспомнила Лиана, — ты же не говоришь по-русски. Как ты с ней мог говорить?

— Она говорит на немецком, — пояснил Вебер, — и я подумал, что нужно подняться. У нее такие красные, покрашенные волосы.

— Пропусти ее, — разрешила Лиана. Она захлопнула дверь и отправилась в спальную комнату. — Там пришли, — пояснила она, обращаясь к Давиду Георгиевичу, — возможно, что это ваша дочь. А возможно, что это кто-то другой. Но она просит пропустить ее к вам.

Он шумно выдохнул воздух и, поднявшись, начал быстро одеваться. Лиана забрала со стула свое нижнее белье, достала из шкафа одежду и прошла в ванную комнату. Через минуту в дверь постучали. Чхеидзе пошел открывать. Открыв дверь, он сначала удивился, потом улыбнулся. На пороге стоял с виноватым видом Вебер. А рядом была Тамара, секретарь Касаткина, с которой он познакомился вчера в его офисе.

— Доброе утро Тамара, — радостно приветствовал ее Чхеидзе, — хорошо, что вы решили зайти ко мне так рано утром. Мы вместе позавтракаем. Спасибо, Гюнтер, — добавил он по-немецки.

Тамара вошла в номер, снимая свой серый плащ. Он взял плащ и успел разглядеть дизайнерскую марку. Улыбнулся, повесив плащ на вешалку.

— Что-нибудь опять случилось в вашем офисе? — спросил он, провожая Тамару в гостиную.

— Альберт Аркадьевич просил сообщить, что он сегодня к вам приедет, — пояснила Тамара. На ней была узкая, обтягивающая юбка, черные колготки и симпатичный жакет в черно-белую полоску. Волосы были красиво расчесаны. Возможно, она успела сегодня утром даже побывать у парикмахера. Девушка с удовольствием огляделась. Было заметно, как ей нравится этот большой номер.

— Шикарный «люкс», — сказала она, усаживаясь на стул, — никогда в таких не была.

— Все когда-нибудь случается впервые, — улыбнулся Чхеидзе. Он ждал, когда наконец выйдет из ванной комнаты Лиана, чтобы попросить ее заказать завтрак для них обоих. И, конечно, секретарю следовало уйти, чтобы оставить его наедине с такой красивой молодой женщиной.

— Вы что-нибудь пьете? — осведомился он у гостьи.

— По утрам? Нет. Ни в коем случае, — она улыбнулась, показывая свои красивые зубы, — я пришла к вам по делу.

— Не сомневаюсь, что такая красивая молодая женщина могла прийти ко мне только по делу. Между прочим, я хотел узнать, какая у вас зарплата в компании. Сколько вам платил покойный Касаткин?

— Немного, — деловито ответила Тамара, — за такую работу в других компаниях платят до пяти тысяч долларов. А он платил очень мало. Две тысячи в месяц. И еще с меня брали налоги. Я не получала дополнительных денег в конверте, если вы интересуетесь именно этим.

— Ужасно мало, — огорчился Давид Георгиевич. Он огорчился не потому, что ей платили так мало. Повод был совсем иной. Невозможно было одеваться так, как она одевалась, на эту зарплату. Часы на ее руке стоили двадцать пять тысяч долларов, а это могло означать только одно. У нее был богатый спонсор. Который не стал бы так просто тратить деньги на такую красивую молодую женщину. Чхеидзе незаметно вздохнул. Если у нее уже были богатые друзья и спонсоры, значит, она знает, как можно умело выуживать из них деньги. Такая ему не очень подходила для совместных поездок.

— Вы живете с родителями? — сделал он последнюю попытку.

— Нет, одна, — ответила Тамара, окончательно похоронив его иллюзии.

Из ванной комнаты вышла Лиана. Она прошла в коридор и только затем появилась в гостиной, войдя с другой стороны. Безупречный макияж, идеально сидевший костюм. Было полное ощущение, что она провела в этой одежде все утро и давно поднялась с постели.

— Доброе утро, — деловито поздоровалась Лиана, — вам что-нибудь нужно?

— Закажите нам завтрак на двоих, — попросил Чхеидзе, — и пусть принесут большой кофейник. Вы узнали нашу гостью? Это Тамара из строительной компании.

— Мы вчера познакомились. — Нужно было отдать должное Лиане. У нее не дрогнул на лице ни один мускул. Она поняла, что он хочет остаться в своем номере вместе с этой молодой особой, которая была гораздо моложе Лианы.

— Мы вчера вместе были в машине, когда погиб Касаткин, — кивнула Тамара, — я как раз увидела этот грузовик и очень испугалась.

— Да, — кивнула Лиана, — она даже закричала.

— Вы очень эмоциональная женщина, — сказал Давид Георгиевич, прикасаясь к руке незнакомки. Он уже чувствовал вкус ее губ, ощущал ее молодые упругие груди в своих руках. Нужно было быстрее удалить Лиану и остаться с этой девочкой, которая решилась навестить его так рано утром. Кажется, Линда Эвангелиста сделала свою карьеру на том, что проникла к номер генерального распорядителя, который сначала переспал с ней, затем сделал ее своей любовницей, позже женой и топ-моделью. А затем она его просто бросила. Давид Георгиевич хорошо знал эту историю. И десятки подобных. Очевидно, эту историю знала и его гостья. Она, улыбаясь, смотрела на Лиану.

— Что заказать для нашей гостьи? — поинтересовалась Лиана. — Что вы будете есть?

— Что угодно, — ответила Тамара, — я думаю, что мне можно положиться на ваш вкус. И вообще я думаю, что мы станем с вами друзьями, Лиана.

Это было уже неприкрытым хамством. Чхеидзе хищно улыбнулся. Обычно такие нахальные особы ведут себя в постели особенно занимательно. Раскованно и свободно. Плюс ее молодой возраст. Приключение обещало быть очень интересным. Учитывая, что Лиана была старше этой особы лет на десять, последняя фраза Тамары была настоящей наглостью.

— Я трудно схожусь с людьми, — отчеканила Лиана, — поэтому не думаю, что мы когда-нибудь станем друзьями. Простите, я не запомнила вашей фамилии.

Давид Георгиевич почувствовал жажду. Он подошел к мини-бару и достал еще одну бутылочку воды. Начал ее открывать.

— Теперь запомните, — улыбнулась ей Тамара, — до вчерашнего дня моя фамилия была Дмитриева. А теперь я думаю поменять ее на отцовскую. Теперь я буду Тамара Чхеидзе. Так мне нравится гораздо больше.

— Нет, — не выдержав, сказала потрясенная Лиана, — не может быть. — Она даже сделала шаг назад, словно ее кто-то ударил по лицу.

Бутылка воды выпала из рук онемевшего от удивления и ужаса Давида Чхеидзе. Он повернулся, глядя на свою дочь и все еще не веря своим глазам.

**День третий.
РЕАЛЬНОСТЬ**

— Вы встретились со своей дочерью? — уточнил Дронго. — И сразу после первой встречи вы считаете, что она могла покуситься на вашу жизнь? Я несколько иначе представлял себе встречу отца и дочери, которые обрели друг друга через двадцать с лишним лет.

— Если бы вы присутствовали на этой встрече, то могли бы сразу отнести ее к числу подозреваемых, — печально сообщил Чхеидзе. — Вы не можете представить, как прошла наша первая встреча. Это было ужасно. Я даже не предполагал, что моя дочь работает в компании Касаткина. Откуда я вообще мог знать? Вы могли бы поверить в такое совпадение? И я сразу не поверил. Она была его помощником или личным секретарем. Что-то в этом роде. Никаких отношений у них, конечно, не было и не могло быть. Это я понял уже позднее. Можете себе представить мое состояние? Она является ко мне вчера утром, и я принимаю ее как сотрудника компании, с которой я буду работать. В которую я собираюсь инвестировать сто миллионов долларов.

Он тяжело вздохнул.

— Еще хорошо, что все так получилось. Она ведь мне сразу понравилась. У нее волосы выкрашены в красный цвет и прическа каре. Умница, всегда училась на «отлично». Но вы бы видели, как она одевается, как она разговаривает, как держится. Такие девочки всегда знают, чего хотят. И когда она пришла ко мне, я сначала решил, что у нас будет обычная встреча, нормальная интрижка. Я даже думал использовать ее в качестве моего человека в компании. Она могла бы мне сообщать о разных нюансах, которые там бывают. Симпатичная мордашка, каких много. Я хотел взять ее с собой в Швейцарию. Хорошо, что здесь была Лиана. И тогда Тамара сообщила, что она моя дочь. Я с ужасом думаю, что мог флиртовать с собственной дочерью.

— Досадно, — поддакнул Дронго.

— Вот именно. Такое невероятное совпадение. А может, это судьба и ничего невероятного здесь не было. Не знаю, даже страшно подумать. Если бы мне Ирина сказала заранее, возможно, я вел бы себя иначе. А так... я вел себя как хвостатый сатир, только не удивляйтесь, что я еще помню мифологию. И не спрашивайте, кто в моей семье занимался греческими мифами. Конечно, Тамаре не могло понравиться мое поведение. Я ведь сразу начал с ней флиртовать, еще когда мы были в компании. Да и на следующий день я не сразу разобрался. А потом она сказала, что она моя дочь. И сразу начала мне хамить, смеяться надо мной, издеваться. Я вспылил, что-то ей наговорил, даже ударил ее. Она обиделась и ушла. Самое неприятное, что, по-моему, обиделась и Лиана, ведь моя дочь начала хамить и ей тоже.

— Неприятная история, — согласился Дронго, — и теперь вы всех подозреваете?

— Всех, — уверенно ответил Чхеидзе, — и у меня только одна ночь впереди. Завтра я проведу свою проверку и все сам выясню. Поэтому мне нужно, чтобы завтра вы были у меня в отеле. Я оплачу все ваши расходы. Постараюсь уговорить свою дочь и ее мать тоже приехать. Заодно соберу всех остальных. Самойлова, Лиану и Гюнтера. Только так мы сможем точно выяснить, кому нужна моя смерть.

— Насчет Самойлова я понял. Вы полагаете, что ваша дочь станет наследником вашего состояния и это выгодно Самойлову. Поэтому он может желать вашей смерти?

— Конечно. Он получит доступ ко всем деньгам. Ведь она еще ребенок, хотя и получила хорошее юридическое образование. Он воспользуется моими деньгами с ее помощью.

— Все не так просто, — возразил Дронго, — нужно будет еще доказать, что она ваша дочь. Провести экспертизы, уточнить все детали. Дождаться решения суда. Сначала в Швейцарии, потом в России. Это длительная процедура.

— В таком случае я ошибаюсь и никто из этой пятерки не хочет моей смерти. Остается поверить, что цыганка просто обманула меня. Но сегодня последняя ночь.

— Охрана дежурит до утра?

— Восемь человек, — сообщил Чхеидзе, — четверо в коридоре. Все вооружены. Я не думаю, что какого-нибудь чиновника охраняют лучше. Плюс Гюнтер Вебер, который один стоит пятерых. Если, конечно, он вне подозрений.

— Кто еще может к вам войти без разрешения?

— Уже никто. Охранники будут фиксировать появление каждого человека. У них категорический приказ никого сегодня ночью ко мне не пускать.

— Может, мне лучше остаться ночью рядом с вами? — предложил Дронго. — И тогда мы убедимся, что все в порядке?

— Нет, — решительно возразил Давид Георгиевич, — я теперь никому не верю. Вы меня понимаете? Я попросил оставить мне пистолет, чтобы самому решить все свои проблемы. Сегодня ночью я не буду спать. Четверо охранников — это обычная бутафория. Смерть может войти внезапно, минуя этих людей. Может, я вообще не прав и меня убьют совсем другие люди. Но я хотя бы буду сопротивляться. И самое главное, чтобы рядом со мной никого не было в эту ночь. После того как дважды сбылись предсказания цыганки, я не верю никому. Ни одному человеку. Я теперь просто вынужден верить только самому себе. Я буду ждать, кто первым войдет в этот номер сегодня ночью. И первый вошедший получит пулю. Даже если сумеет обойти охранников. Я им приказал никого сегодня ночью не пускать. Даже если начнется пожар, то я сгорю в этом отеле, но не выйду отсюда. Ведь она сказала, что меня убьют, она не сказала, что я просто умру или это будет случайная смерть. Поэтому я останусь здесь и буду ждать вас до утра. А утром вы появитесь у меня вместе с остальными и мы проведем заключительный эксперимент. Потом я улечу в Цюрих.

— Что вам сказали в прокуратуре?

— У грузовика отказали тормоза. Все выглядит случайным, если не вспоминать цыганку. Но я ее помню и поэтому не верю в подобные случайности.

— Они разрешают вам уехать?

— Завтра утром. У меня уже куплен билет.

— Что у вас с компанией Самойлова?

— Там все в порядке. Мы начинаем нашу работу уже с завтрашнего дня. Все документы оформлены и подписаны.

— А может, мы сделаем иначе? — предложил Дронго. — Вы поедете со мной и проведете эту ночь в моей московской квартире. Я позову своего друга Эдгара Вейдеманиса. Он бывший сотрудник КГБ. Я думаю, что мы сможем вдвоем вас защитить. К тому же никто не будет знать, где именно вы находитесь.

— Нет, — возразил Чхеидзе, — спасибо за ваше предложение, но мне оно не подходит. Дело в том... дело в том, что я не могу до конца доверять и вам, господин Дронго. Ведь вас нашла Ирина. А если это заговор, чтобы выманить меня из отеля и убить, когда я останусь без охраны?

— Если так пойдет дальше, то вы превратитесь в параноика, который вздрагивает от любого стука, — сказал Дронго, — так нельзя. Вы же сели назло гадалке в машину на свое обычное место. Почему сейчас вы не хотите сделать нечто подобное?

— Ее предсказания в отношении меня уже дважды сбывались. Я не хочу испытывать судьбу, — Чхеидзе посмотрел по сторонам, — возможно, что это мое последнее место, где я должен умереть. Место неплохое. Говорят, здесь останавливались Уинстон Черчилль и Жак Ширак. Очень неплохая компания. Сколько я вам должен?

— Ничего. Мы только беседовали. Я пока ничего не сделал. Если бы вы разрешили мне здесь остаться...

— Нет, — уверенно сказал Давид Георгиевич, — ни в коем случае.

За дверью раздался какой-то шум. Он достал пистолет и подошел к двери. Дронго остался в гостиной. Чхеидзе рывком открыл дверь. В коридоре находился официант, который привез для него поздний ужин. Но его не пропускали охранники. Рядом стояла Лиана. Это она заказала ужин для своего шефа.

— Уходите, — крикнул Чхеидзе, — я сегодня ничего не буду есть. Уходите. Спасибо, Лиана, за заботу.

— Мне можно войти? — спросила она.

— Нет, — он потрогал оружие, спрятанное в кармане, — не нужно. Завтра утром мы увидимся. До свидания. Сегодня ты можешь отдыхать.

Он закрыл дверь и вернулся к Дронго.

— Вот и все, — почти весело сказал он, — теперь все остальное в моих руках. Я остаюсь и буду ждать. Мне даже интересно, кто это будет. Может, мне удастся перед смертью хотя бы побеседовать с моим убийцей. Это было бы забавно.

Дронго поднялся.

— До завтра, — сказал Чхеидзе, протягивая ему руку, — вы знаете, а мы с вами действительно чем-то похожи друг на друга. Спасибо, что вы сегодня приехали. Увидимся завтра, — добавил он на прощание, — если все будет в порядке.

Дронго вышел мрачный. У него было нехорошее предчувствие.

День второй.
ВОСПОМИНАНИЯ

Чхеидзе не мог поверить в такую новость. Он был потрясен, раздавлен, ошеломлен словами Тамары. Только сейчас он вдруг с нарастающим ужасом начал осознавать, кого именно напоминала ему Тамара. Она была неуловимо похожа на молодую Ирину, только более агрессивная, более напористая, более энергичная. Такое же красивое, немного удлиненное лицо. Те же глаза, нос, губы. Как он мог сразу не узнать? И самое главное — имя. Значит, Ирина дала ей имя грузинской царицы. Однажды она спросила Давида, какое женское имя ему нравится.

— Этери зовут мою мать, а Мананой мою сестру, — ответил тогда Давид, — но больше всего мне нравится имя Тамара. Так звали мою бабушку и нашу царицу.

— Красивое имя, — согласилась тогда Ирина.

Он обязан был догадаться. Ведь наверняка про аварию Ирине рассказала ее дочь. Неужели она знала, кто ее отец, и флиртовала с ним еще вчера, когда он ничего даже не подозревал. Господи, он настоящий мерзавец. Готов был ухаживать за собственной дочерью. Какая она красавица! Он почувствовал, как в нем все переворачивается. Теперь он смотрел на нее не глазами одинокого мужчины, а восхищенными глазами отца.

Лиана первой пришла в себя. Подошла к ней.

— Вы дочь Давида Георгиевича? — уточнила она. — И ваша мать Ирина Миланич?

— Моя мать на самом деле Ирина Дмитриева, — ответила Тамара, — но она оставила себе фамилию своего первого мужа. Хотя могла взять и датскую фамилию второго. А у меня была фамилия моего деда, известного ученого Дмитрия Алексеевича Дмитриева. Но до вчерашнего дня я не знала, что я дочь Давида Чхеидзе. Хотя подозревала, что с моим рождением не все чисто. Но мать никогда мне ни о чем не говорила. И вот вчера ночью наконец все рассказала. Поэтому я решила прямо утром приехать к вам. Тем более что мать предупредила вас о моем появлении. Можете познакомиться с собственной дочерью, уважаемый Давид Георгиевич.

Она поднялась и церемонно поклонилась. Затем снова уселась на стул.

— Лиана, вы напрасно стоите и смотрите на меня таким изумленным взглядом. Не нужно впадать в ступор. Закажите нам завтрак.

Вчера она помогала Лиане, стараясь ей услужить. Сегодня в ее голосе появились отчетливо хамские нотки. Теперь она наслаждалась своей ролью хозяйки.

— Обязательно, — кивнула Лиана, — я сейчас все сделаю.

Кусая губы, она вышла из номера. Чхеидзе поднял бутылку и подошел к своей дочери. Посмотрел на нее. Протянул руку и дотронулся до ее подбородка. Указательным пальцем поднял ее лицо.

— Ты моя дочь? — не веря своим глазам и собственным словам, изумленно спросил Давид Георгиевич.

Это красивое лицо, такие глаза, такая внешность. Его дочь настоящая красавица. Он почувствовал прилив гордости.

— Очевидно, да, если моя мама не вспомнит еще об одном кандидате на эту роль, — нагло заявила Тамара.

Он убрал руку. Подвинул стул и уселся рядом с ней.

— Откуда у тебя такие часы? — спросил он, показывая на ее часики с бриллиантами. — Кто мог купить тебе такую дорогую вещь?

— Моя мать, — пожала плечами Тамара, — она их купила в Лондоне, когда ездила туда на какую-то конференцию. Подарила в честь окончания мной университета. А почему вы спрашиваете?

— Подарок, — обрадовался Чхеидзе, — это очень хорошо. Просто прекрасно. — Теперь он понимал, что ее часы и наряды были не подачками богатых сожителей, а подарками очень обеспеченной матери, у которой она была единственной дочерью.

— А вы действительно мой отец? — вдруг спросила она. — И вы столько лет ничего обо мне не знали? Даже когда вчера появились у нас в офисе?

— Ничего не знал, — признался он, — даже не мог предположить, что у меня есть дочь. Честное слово. Я уехал тогда в Новосибирск по распределению на работу. А твоя мать осталась в Москве и довольно быстро вышла замуж за этого Миланича.

— Я его совсем не помню. Он почти не появлялся в моей жизни, — сообщила Тамара, — хотя формально считался моим отцом. Иногда появлялся и дарил какие-то дурацкие игрушки. Всегда не по возрасту. И не в тему. Один раз подарил оловянных солдатиков. Вы видели девочек, играющих в солдатиков? Я еще не видела. Моя мать всегда была независимым человеком. Она даже не брала у него алименты на мое воспитание. Не хотела принимать его подачки, как она говорила. Вы любили мою мать?

— Думаю, что да. Очень любил.

— И, судя по ее возрасту, были ее первым мужчиной? — безжалостно и нагло спросила она.

Он чуть покраснел, отвернулся. Ему не хотелось говорить об этом с дочерью Ирины.

— Не хотите говорить, — усмехнулась она, — ну и не говорите. В общем, вы бросили мою мать и уехали в Новосибирск. Она мне все рассказала. А потом стали миллионером и снова все бросили, сбежав в Германию.

— Меня могли тогда убить, — возразил он.

— И поэтому вы два раза убегали? — насмешливо уточнила Тамара. — С вашими миллионами можно было нанять армию телохранителей и армию ОМОНа, которые бы перебили всех ваших недругов.

— В следующий раз я так и сделаю, — пообещал он.

— Не нужно было уезжать, — подвела она безжалостный итог. — И сколько вы теперь «стоите»? Вчера мне говорили, что вы готовы инвестировать в нашу компанию около ста миллионов долларов. Значит, еще столько у вас должно остаться? Или меньше?

— Больше, — улыбнулся он, — гораздо больше.

— Ничего себе, — присвистнула она, — получить такого отца в моем возрасте. Вы просто подарок. Теперь я стала вдруг грузинкой. Так смешно. Меня и в школе дразнили грузинской царицей, но я тогда не знала, что вы мой отец.

— У тебя есть кто-нибудь? У тебя есть друг?

— По-моему, несколько минут назад вы готовы были стать моим другом? — рассмеялась Тамара.

— Не говори глупостей, — нахмурился он, — я же не знал, что я твой отец. Ничего не знал.

— Теперь знаете. Ну и что? Теперь начнете следить за моей нравственностью. Выдадите меня замуж за старого грузинского князя. Или за молодого. У вас же не бывает обычных людей. Любой грузин или из княжеского, или из царского рода. Нация, целиком состоящая из дворян. Ни одного крестьянина я еще в своей жизни не встречала. Каждый рассказывает о своих дворянских корнях.

— Перестань, — попросил он, — я не знал, что у меня есть дочь. И мне интересно: как ты живешь, с кем встречаешься, что ты любишь?

— Перечислю, что я люблю. Большие суммы денег на банковских счетах, золотые и платиновые кредитные карточки, неограниченный кредит в парижских бутиках, членство в английских клубах... Достаточно или продолжать?

— Хватит. Я примерно понял уровень твоих запросов.

— Прекрасно. Жалко, что мне много лет и я уже вышла из подросткового возраста.

— Почему жалко? — не понял Чхеидзе.

— Не забывайте, что я юрист, — пояснила она, — если бы я была еще несовершеннолетней, то вполне могла подать на вас в суд, чтобы вы обеспечивали несчастную девочку, брошенную вами вместе с ее матерью. Любой суд заставил бы вас выплачивать мне та-а-акие алименты... Но сейчас уже поздно. Очень жаль. У вас есть жена или подруга?

— Нет, — ответил Давид. — Тебе не кажется, что ты чуточку хамишь?

— Ни в коем случае. Пытаюсь прощупать своего папашу. Понять, как вы могли жить все эти годы без меня. А Лиана действительно красивая женщина. Вы ее тоже используете? Или она только для работы?

Он резко поднялся.

— Нельзя так разговаривать с отцом, — мрачно произнес он.

— Какая строгая мораль, — Тамара усмехнулась, — полчаса назад вы готовы были уложить меня в постель. А теперь стесняетесь того непреложного факта, что спите со своим секретарем. Она ведь оставалась сегодня в вашем номере, я правильно все вычислила?

— Давай поговорим о других вещах, — предложил Чхеидзе. — И не нужно так на меня смотреть. Я действительно не знал, что ты моя дочь. Поэтому все эти годы я просто не мог тебя искать, так как даже не подозревал о твоем существовании. Я думаю, что мы с тобой все обсудим. Тебе нужно будет уйти из этой фирмы. Особенно сейчас, когда погиб Касаткин. Необязательно работать с этим Самойловым. Все будут знать, что ты моя дочь, и тогда мои инвестиции будут выглядеть двусмысленно.

— Ничего, — возразила она, — сделаете меня исполнительным директором компании. Вы это сможете. Ведь деньги ваши, и пятьдесят процентов акций будут принадлежать вам. Я готова работать на ваши интересы. Сделаете меня исполнительным директором, и я буду контролировать, как расходуют деньги моего родного папочки.

— Ты с ума сошла? — изумился Чхеидзе. — Речь идет о такой огромной сумме. Сколько тебе лет? Двадцать два? Двадцать три? В таком возрасте не работают исполнительными директорами...

— А в каком работают? — спросила она. — Я, между прочим, в шестнадцать лет окончила школу с золотой медалью. И в двадцать один — юридический факультет МГУ с красным дипломом. Я уже полтора года работаю в этой фирме и все там знаю. Из меня получился бы очень неплохой исполнительный директор. Или вице-президент компании. Это уже на ваше усмотрение.

Он посмотрел на нее. Кажется, она действительно не шутит. Неужели она действительно его дочь? Такая цепкая, уверенная в себе, наглая, знающая себе цену. А если Ирина сказала неправду? Нужно будет провести генетическую экспертизу, проверить ДНК, уточнить группу крови. Нужно все выяснить досконально. Ирина могла выдать желаемое за действительное. Возможно, ей не хотелось, чтобы у девочки был такой биологический отец, как Викентий Миланич, и она «придумала» другого отца. Более удачливого и успешного.

— Какая у тебя группа крови? — неожиданно даже для самого себя спросил Давид Георгиевич.

— Боитесь продешевить? — поняла Тамара. — Считаете, что вас обманывают. Будете проверять мою кровь? Тогда лучше сразу взять образцы ДНК. Так надежнее. Кровь может совпасть, а ДНК никогда. У меня вторая группа крови, господин Чхеидзе, но если будет нужно, я готова сдать свою кровь на анализ, чтобы убедить вас в нашем родстве. Или вы уже передумали делать инвестиции в нашу компанию?

— Мне не нравится твой тон, — строго сказал Чхеидзе, — повторяю, я ничего о тебе не знал. И вчера увидел тебя впервые. Ты мне сразу понравилась. Умная, красивая, хорошо одетая. Я даже хотел забрать тебя с собой в Швейцарию.

— Не сомневаюсь. И сделать обычной приживалкой. А потом выбросить за ненадобностью.

— Нельзя так разговаривать. Даже с чужими людьми нельзя, — одернул ее в очередной раз Давид Георгиевич.

В дверь постучали. Официантка вкатила поднос с завтраком. Тамара встала и подошла к другому столику, где стояли бутылки. Она их внимательно рассматривала, пока официантка расставляла приборы и завтрак на столе. Девушка ушла, и Тамара обернулась.

— Вы все это пьете? — спросила она, показывая на бутылки виски.

— Одну бутылку мы вчера открыли с твоей матерью, чтобы отметить нашу встречу, — сдержанно ответил Чхеидзе.

— Здорово. Значит, вы ее тоже пытались затащить в свою постель. Еще раз. Вам удалось или она отказала?

— Я не буду отвечать на такие хамские вопросы, — разозлился Давид Георгиевич, — ты можешь не уважать никого, но обязана уважать хотя бы свою мать.

— С какой стати? — спросила Тамара. — Выяснилось, что она всю жизнь мне врала, обманывала, выдавала за моего отца полное ничтожество, а сама умудрилась переспать с красивым грузином, от которого потом родила. Всю жизнь она сама выбирала, с кем и где ей встречаться. И сама строила свою жизнь. За это я ее очень уважаю. А за мое рождение... Извините. Это темная страница в истории жизни моей мамы.

— Садись и позавтракай, — предложил Чхеидзе, — нам нужно о многом поговорить.

— Нет, — сказала она, взглянув на часы, — я должна уже ехать на работу. Сами знаете, какие у нас проблемы после смерти Касаткина. Можете позвать Лиану и позавтракать вместе с ней. До свидания, дорогой папаша. Мне было интересно увидеться с вами еще раз, после того как вчера ко мне приехала мама и все рассказала. Теперь я знаю, что у меня есть богатый и успешный папа и довольно обеспеченная и не менее успешная мама. Какая идиллия! Может, вам наконец пожениться? Я получу любящих родителей. Только не обещаю, что вы получите любящую дочь. Уже слишком поздно меня переделывать. А насчет исполнительного директора вы подумайте. Может, и сделаете мне предложение, от которого я не смогу отказаться.

Она взяла свою сумочку, намереваясь уйти.

— Подожди, — крикнул Давид Георгиевич, — я хочу увидеть тебя еще раз.

— Зачем? — обернулась она к нему. — Теперь вы знаете, что у вас есть молодая и красивая дочь. Можете получать от этого удовольствие. Вам, наверно, жалко, что сорвалась такая встреча со мной, но я думаю, что в Москве это не проблема. Найдете себе девочку, которая не будет вашей дочерью, и трахнете ее от души...

Он ударил ее по щеке. Сильно ударил. Она схватилась за лицо.

— Грубо, — сказала Тамара, — вы еще и невоспитанный человек. Я лучше уйду. А вы подумайте, как вам жить дальше.

— Извини, — сумел выговорить он, — я не хотел.

— Горячая южная кровь, — сказала она, с трудом сдерживая слезы, — я понимаю. Ничего страшного.

Он схватил ее за руку

— Не уходи, — попросил Чхеидзе, — извини меня и не уходи. Ты сама виновата. Начала говорить мне такие чудовищные слова.

— Конечно, я виновата. В том, что ты двадцать с лишним лет назад сделал моей матери ребенка. Что ты ее бросил. Что она растила дочь без мужа. Что она любила тебя и поэтому дважды выходила замуж за нелюбимых. Во всем виновата только я. Пусти, иначе я закричу.

Она вырвала руку и пошла к выходу. Сильно хлопнула дверь. Он остался один. Подошел к столу. Услышал, как отворилась дверь еще раз. Он радостно обернулся. Это была Лиана. Чхеидзе огорченно пробормотал короткое ругательство на грузинском. Ему было стыдно за свое поведение. Он подошел к столу и взял тарелку. Затем с силой бросил ее на пол. Тарелка разлетелась на мелкие кусочки.

Лиана подошла ближе.

— В таком возрасте они бывают неуправляемыми, — сказала она, пытаясь его поддержать.

Он обернулся.

— Это я неуправляемый, — ответил Чхеидзе, — только об этом никто не догадывается.

Он, повернувшись, пошел в ванную комнату. Лиана проводила его долгим взглядом. Затем подошла к телефону, сняла трубку.

— Пришлите горничную, — попросила Лиана, — нужно убрать в номере.

Она положила трубку и посмотрела в сторону ванной. В номер осторожно вошел Гюнтер Вебер. Подошел к ней.

— Что произошло? — тихо спросил он. — Эта молодая девица выбежала отсюда в слезах. Они поругались? Она ему отказала?

— Это его дочь, — ответила Лиана, — мне кажется, что их первое знакомство оказалось последним. Хотя, может, я и ошибаюсь.

Она подошла к столу. И вдруг, взяв вторую тарелку, с силой бросила ее на пол. Вебер смотрел на нее, не понимая, что происходит.

**День третий.
РЕАЛЬНОСТЬ**

Дронго приехал домой во втором часу ночи. После разговора с Чхеидзе он чувствовал себя выжатым как лимон. Ему было трудно слушать своего собеседника, когда тот рассказывал про Ирину. Он вспоминал молодую женщину, с которой познакомился в Мангалии, и от этого ему становилось грустно и тяжело. К тому же история с дочерью Давида особенно его потрясла. У каждой семьи свои секреты, свои тайны, свои разочарования и обиды. Лучше о них не знать и лучше в них не копаться, иначе можно неосознанно поднять старые гробы и вызвать ненужных духов из могилы.

Он прошел в ванную комнату, чтобы принять горячий душ. Так он обычно делал после тяжелых расследований. В этот момент раздался телефонный звонок. Он удивленно взглянул на часы. Уже два часа ночи. Кто может звонить на городской телефон в это время? Аппарат включился.

— Добрый вечер, — услышал он голос Ирины и вздрогнул. Он, безусловно, ждал ее звонка, но полагал, что она позвонит ему утром. Хотя почему утром? Она ведь знала, что он поехал к ее бывшему другу, к отцу ее дочери, именно сегодня.

— Здравствуй, — ответил Дронго, — я думал, что сегодня ты уже не позвонишь.

— Он пригласил нас к себе в гостиницу завтра утром. Меня и нашу дочь. Ты уже знаешь, что у нас есть дочь? Он сказал тебе об этом?

— Он рассказал, что она приезжала к нему вчера. Но они не поняли друг друга.

— Не поняли. А как она могла его понять, если он ее ударил?

— Насколько я понял, он сожалеет об этом. Он не думал, что все произойдет именно так. Но рассказал мне, что она ему хамила.

— Это она может. Я сегодня пыталась уговорить ее завтра поехать со мной. Кажется, она согласилась.

— Прекрасно. Значит, завтра утром мы увидимся, — сказал Дронго, решив попрощаться.

— Нет, — возразила Ирина, — я хочу увидеться с тобой сегодня. Еще до того, как мы туда поедем.

— Между прочим, сейчас третий час ночи, — взглянул на часы Дронго, — мне кажется, не совсем правильно, если мы решим встретиться именно сейчас.

— Нам нужно встретиться, — упрямо повторила она, — может, в каком-нибудь отеле? Куда ты мог бы приехать? Я не хочу беспокоить твоих близких.

— Я живу один, — ответил Дронго.

— Тогда я приеду к тебе, — быстро решила Ирина, — скажи свой адрес. Я с таким трудом узнала номер твоего телефона. Если буду узнавать еще и домашний адрес, то, боюсь, потеряю всю ночь.

— Как ты приедешь? Может, лучше отложим до утра?

— Мой водитель находится рядом. Он ночует в моей квартире. Сейчас я его разбужу, и мы приедем к тебе.

— Странный водитель, — пробормотал Дронго, — но если ты настаиваешь, то можешь приехать. Запиши адрес. — Он продиктовал адрес своего дома и положил трубку.

Пройдя в ванную комнату, он быстро принял душ и вышел уже готовый к визиту своей ночной гостьи. Она приехала ровно через полчаса. Когда раздался звонок, он подошел к двери и посмотрел в глазок. Это была она. Сильно изменившаяся, непохожая на себя прежнюю, совсем другая женщина. Он открыл дверь. Она была в серебристом плаще, в руках небольшая классическая сумочка от Феррагамо. Он посторонился, и Ирина вошла в дверь. Они неловко поцеловались, чуть прикоснувшись друг к другу. Она сняла плащ и прошла в гостиную. Восхищенно огляделась.

— Ты неплохо устроился, — сказала Ирина. Даже голос у нее был иной. А очки придавали ей небрежную элегантность.

— Ты можешь сесть, — показал он на диван, — или устраивайся в кресле, как тебе удобно.

— Извини, что приехала в такое время. — Она села на диван.

Обувь у нее была тоже от Феррагамо. Прическа была стильная, с прядями осветленных волос. Она была одета в классический строгий серый костюм и светлую блузку. Он обратил внимание на ее часы. Такая модель должна была стоить несколько десятков тысяч долларов. Дронго улыбнулся. Этой женщине удалось состояться вопреки всему. Или, наоборот, именно благодаря тем испытаниям, которые выпали на ее долю еще в молодости.

Он сел в глубокое кресло рядом с ней.

— Ты потрясающе выглядишь, — пробормотал он с восхищением, — с завтрашнего дня я подпишусь на ваш журнал, если у него такой элегантный главный редактор.

— Своеобразный комплимент, — усмехнулась Ирина.

— Будешь что-нибудь пить?

— Нет. Я приехала не для этого. И уже поздно, не хочу тебя долго задерживать. Тебе нужно выспаться, чтобы утром встретиться с Давидом. Он тебя тоже позвал?

— Да, конечно. Сказал, что соберет вас всех.

Тебя, дочь, Самойлова, с которым она работает, Лиану и своего телохранителя, с которым прилетел из Швейцарии.

— Он верит в это глупое предсказание, — нахмурилась она, — никак не хочет успокоиться. Ему все кажется, что его обязательно должны убить.

— Возможно, его подозрения имеют некоторые основания. Сегодня утром он чуть не отравился.

— Не может быть, — она нахмурилась, — я об этом не знала. Сегодня мы с ним разговаривали, и он мне ничего не сказал.

— Зато мне сообщил. Поэтому он уверен, что его хотели отравить.

— Кто? Ты знаешь, кто его хотел отравить?

— Понятия не имею. Он тоже не знает, иначе не стал бы вас всех собирать.

— Он думает, что это я или Тамара, — мрачно сказала Ирина, — наверно, ему кажется, что мы можем претендовать на его миллионы. Какая глупость. Я достаточно обеспеченный человек, чтобы не претендовать на его наследство. И Тамаре он не нужен. Она вообще не хочет думать о его деньгах. Эта девочка уже сейчас получает неплохую зарплату.

— Он хочет с вами поговорить, — повторил

Дронго, — и попытается выяснить, кто именно хотел его отравить.

— Каким образом? — быстро уточнила она. — Как именно он хочет нас проверить?

— Этого я не знаю, — уклонился от ответа Дронго, — завтра мы все узнаем.

Она поправила очки, усмехнулась.

— Знаешь, но не хочешь говорить. Ты считаешь, что я могу решиться на убийство? Спустя столько лет? Или моя дочь? Она его даже толком не знает.

— Что не помешало им поругаться, — напомнил Дронго.

— Не нужно об этом, — попросила она, — не забывай, что я сама нашла тебя, чтобы ты ему помог. Если бы я что-то замышляла, я бы не стала тебя искать. Об этом ты подумал?

— Это не аргумент. Как раз с точки зрения возможного преступника ты должна была сделать все, чтобы найти именно меня. Ведь гораздо удобнее, когда возможное расследование проводит твой знакомый, а не посторонний человек.

— Неужели ты говоришь серьезно? — Она покачала головой. — Спустя столько лет приехал Давид, которого я так ждала, и теперь с моим другим давним знакомым мы обсуждаем, хочу я убить отца своей дочери или не хочу. Дичь какая.

— Ты приехала только для того, чтобы обсудить со мной эту проблему? — устало спросил Дронго. — Если так, то не беспокойся. Он не говорил, что именно ты хочешь его убить. Но он боится, что предсказание сбудется в третий раз, и ищет возможных недоброжелателей среди своих близких.

— Каких недоброжелателей, — встрепенулась она, — я ему давно все простила. По большому счету я ему даже благодарна. Если бы не наши ранние встречи, я, возможно, ничего бы не поняла в этой жизни. Нужно было пройти через боль, через унижение, через расставание, через это замужество, чтобы все понять и осознать. Нужно было бросить Викентия, встретиться с тобой, таким равнодушным и черствым, чтобы наконец стать тем, кем я стала.

— Я был молодым и глупым, — признался Дронго, — и не нужно меня в этом упрекать. Чем больше живу, тем больше убеждаюсь, что наш биологический возраст отличается от возраста, когда по-настоящему осмысливаешь жизнь. У женщин этот возраст начинается после тридцати, у мужчин — после сорока.

— У тебя он уже начался? — улыбнулась она.

— Да. Несколько лет назад. Кризис среднего возраста. Как у любого мужчины. Мы пытаемся переосмыслить свои поступки, свои желания и свои взгляды. У некоторых получается, у некоторых нет. Я изменился, Ирина. Тогда я был просто мальчиком, которому нравилась красивая молодая женщина. А ты прошла уже через боль расставания с Давидом, через унизительный обман и замужество с твоим первым мужем, родила ребенка. Я вообще считаю, что каждая женщина, хотя бы один раз испытавшая таинство родов, знает о нашей жизни гораздо больше, чем сотни ученых мужей. Это тайна, которую мужчинам никогда не понять. Поэтому у нас были тогда разные взгляды на жизнь.

Он видел, как она смотрит на него. Ирина вздохнула.

— Странно, — неожиданно произнесла она, — ведь вы оба были так похожи друг на друга. Оба упрямые дураки, готовые прошибать стены своими каменными лбами. Оба ничего не чувствующие молодые самцы, убежденные, что мир должен вращаться вокруг них. Оба готовые брать от жизни все и ничего не отдавать. Хотя вы оба были достаточно деликатны в отношениях с молодой женщиной. И оба меня равнодушно бросили. Тебя хоть оправдывает, что мы были знакомы только два дня. Но наша последняя ночь мне очень многое дала. Мы с тобой тогда проговорили до утра. А Давиду была интересна его работа и его направление в Новосибирск. У тебя тоже была какая-то важная работа, о которой я могла только догадываться. И вы оба считали свои интересы гораздо более важными, чем интересы окружающих вас людей. И еще самое главное. Вы оба были эгоистами. Убежденными и законченными эгоистами.

Он молчал. Иногда лучше молчать, чем возражать. Это он теперь хорошо понимал.

— Знаешь, почему я ничего не сказала тогда Давиду? — спросила Ирина. — Не потому, что была такой наивной дурочкой и мне было стыдно говорить ему, в каком я положении. Все было гораздо хуже. Я случайно узнала, что он переспал с одной молодой особой. Можешь себе представить? Они встретились, и он с ней переспал. Как я должна была отреагировать? Закатить ему скандал? Устроить сцену? Я могла отомстить только по-своему. Выйти замуж за другого человека и выдать ребенка Давида за дочь своего мужа. Что я и сделала. Это разбило мне сердце, потрясло меня до основания, но закалило мой характер. Вот так, мистер Дронго. Ты, кажется, любишь, когда тебя так называют?

— Ты сказала ему об этом?

— Да. Поэтому я хотела увидеть тебя и рассказать тебе все до того, как мы завтра с ним увидимся. Дело в том, что я была у Давида в отеле не один раз, а два. Вчера вечером я снова была у него. И все ему рассказала. Но он тебе, конечно, об этом не сказал. Ему мужское «эго» не позволяет рассказать всю правду. Он до сих пор считает себя невиновным в том, что тогда произошло. И он уверял меня, что это была такая глупая случайность. Если бы он хотя бы молчал, как ты, я бы ничего не говорила. Но он не молчал. Он убежден, что та встреча была случайной и ей не стоило придавать такого значения. Если бы он сейчас с кем-то встретился, то, возможно, мне было бы все равно. Но тогда... Он был моим первым мужчиной. Я была влюблена в него по уши. И вдруг я узнаю, что он встретился с одной нашей общей знакомой. Даже не знакомой, она была из тех девочек, которые не отказывают другим парням. Не профессионалка, но очень доступная девчонка. Такие тоже встречаются. Она никому не отказывала. Вот так, мистер Дронго. И все ваши психологические этюды ни к чему, если девочке, так доверчиво относящейся к жизни, причиняют такую боль. Поэтому Давид так боится. Он считает, что я должна его ненавидеть. Или я, или наша дочь. Он даже не понимает, что, бросив меня тогда, он сделал из меня настоящую женщину, закалив мой характер.

— Он мне об этом ничего не говорил, — пробормотал несколько ошарашенный подобным признанием Дронго.

— Конечно, не говорил. Он не мог тебе рассказать, как подло поступил тогда. Он не просто меня бросил, мы поругались, и он ушел. Но я знала, что до этого он уже встретился с этой дамочкой. И эта боль не давала мне покоя, искала выхода. Поэтому я так сорвалась, когда он ко мне пришел. Поэтому мы не поняли друг друга. И не могли понять.

Он сокрушенно молчал. Век живи и век учись. О таком повороте событий он даже не думал.

— Знаешь, почему я сказала, что вы были так похожи друг на друга? — спросила Ирина. — Дело в том, что я тогда не улетела в Москву. Я приехала в Бухарест и получила направление снова отправиться в Болгарию. Ведь я была корреспондентом журнала, специализующегося на социалистических странах. А наш корреспондент, который должен был лететь в Болгарию, неожиданно попал в больницу. У него был банальный аппендицит. И я отправилась тогда в Болгарию.

Он поднял голову. Нужно не выдавать своего

волнения. Неужели возможно такое совпадение? Неужели подобное вообще возможно?

— Сразу после того, как ты попрощался со мной, забрав мой телефон и адрес, ты уехал в Болгарию. Я приехала туда в таком настроении... Радовалась, что снова смогу тебя увидеть. Ты уже догадываешься, что именно я там узнала?

— Да, — глухо ответил он, — но это было совсем не то, что ты думаешь.

— Я ничего не думала. Мне любезно рассказали, что тебе разрешили выбрать самых красивых девушек из одесской группы и отправиться с ними в такой круиз по Болгарии. Тогда я все поняла. Во-первых, ты был не просто индивидуальным туристом, иначе вам бы не разрешили такое изменение программы. Никому бы не разрешили. А во-вторых, встреча со мной была для тебя всего лишь обычной интрижкой, такой легкой и ни к чему не обязывающей встречей, о которой ты мог забыть уже через час после моего отъезда. Или через два. Я вернулась в Москву и поменяла свой городской телефон, чтобы ты никогда не смог до меня дозвониться. Ты звонил?

— Нет, — ответил Дронго, — я ни разу не звонил.

— Честный ответ, — кивнула она, — ты действительно изменился. Раньше бы ты соврал.

— Раньше я был другим. Я тебе об этом уже сказал.

— Давид тоже изменился. Только совсем не так, как ты. Он изменился в другую сторону. В худшую. Стал раздражительным, подозрительным, нетерпеливым, убежденным в своей правоте.

— Деньги, — произнес Дронго, — у нас теперь с ним разные весовые категории. У меня нет сотен миллионов долларов, и свои деньги я зарабатываю благодаря своей профессии. А у него есть сотни миллионов долларов. Когда у человека столько денег, он считает себя и умнее и лучше остальных. Это не зависит даже от самого человека. Как говорят в таких случаях американцы: «Если ты такой умный, почему ты не такой богатый». Изначально подразумевается, что человек, имеющий много денег, должен быть умнее, сообразительнее, трудолюбивее, энергичнее, чем остальные. Что правильно для американского общества. Моя профессия научила меня терпимости, умению слушать и слышать людей, умению общаться с каждым, даже очень трудным индивидом во имя постижения истины. А его работа сделала из него бездушного хозяина, не привыкшего считаться с чужим мнением, не умеющего слушать других людей, не позволяющего остальным высказывать мнения, отличные от его собственного. Все правильно. Какая судьба, такой и человек. Какой человек, такая и судьба.

— Возможно, ты прав, — Ирина тяжело вздохнула, — поэтому он так и не попытался меня понять, когда я пришла к нему во второй раз.

День второй.
ВОСПОМИНАНИЯ

Она приехала в седьмом часу вечера, не уведомив о своем приезде Давида. Охранники не пропустили ее в апартаменты Чхеидзе. Она попросила позвать секретаря, чтобы переговорить с Лианой. Через несколько минут в коридоре появилась Лиана. Увидев гостью, она прикусила губу. Ей было очевидно неприятно, что Ирина появилась здесь во второй раз. Но она не стала выдавать своих истинных чувств.

— Я вас слушаю, — произнесла Лиана ровным голосом.

— Мне нужно срочно увидеться с Давидом, — громко потребовала Ирина.

— Извините меня, мадам Миланич, но он сейчас занят, — с удовольствием сообщила Лиана, — у него исполняющий обязанности президента строительной компании господин Самойлов. Вы подождете или приедете позже?

— Доложите, что я нахожусь в коридоре, — нервно произнесла Ирина, — хотя нет, подождите. Вы были здесь, когда сегодня утром приезжала Тамара, моя дочь?

— Да, — кивнула Лиана.

— О чем они говорили?

— Я не была в апартаментах. Но, по-моему, ваша дочь вела себя не совсем адекватно. Извините, мадам Миланич, я должна доложить о вашем приезде.

— Что значит неадекватно? О чем они говорили?

— Я не слышала. Извините, но я не могу обсуждать действия своего босса. Я могу уйти?

— Можете. — Ирина поняла, что Лиана ей больше ничего не скажет. Лиана удалилась в апартаменты. Через минуту она снова появилась и кивнула охранникам, разрешая им пропустить гостью. Ирина вошла в апартаменты. Увидев ее, Самойлов и Чхеидзе поднялись со стульев. Давид кивнул ей в знак приветствия. Самойлов поклонился.

— Я всегда мечтал с вами познакомиться, госпожа Миланич, — сказал Альберт Аркадьевич, —

у вас такой популярный журнал. Его читает вся Москва.

— Надеюсь, что не только Москва, — усмехнулась Ирина.

— И ваша дочь, которая у нас работает. Она такая умница, — восторженно продолжал Самойлов.

— Откуда вы знаете, что она моя дочь? — удивилась Ирина.

— У нас своя разведка, — усмехнулся Альберт Аркадьевич, — неужели вы думаете, что покойный Касаткин мне ничего не рассказывал? Ваша дочь вырастет в хорошего специалиста, она уже сейчас работает с нашими юристами.

— Поздравляю, — кивнул Давид, — а я полагал, что она только взбалмошная девица, которая больше думает о своих нарядах и прическах.

— Она не такая, — сразу ответила Ирина, — у нее много достоинств. Просто нужно уметь их разглядеть. А не нападать сразу на девушку, которая может комплексовать в силу разных причин.

— Комплексовать? — разозлился Чхеидзе. — Если бы ты слышала...

— Извините, — вставил Самойлов, — я лучше поеду. У меня еще много дел. До свидания. До свидания, госпожа Миланич. — Он быстро попрощался и вышел.

Давид Георгиевич обернулся к Ирине.

— Твоя дочь дурно воспитана, — возбужденно произнес он.

— Наша дочь... — поправила его гостья.

— Твоя дочь, — упрямо повторил Чхеидзе, — она пришла сегодня сюда и вела себя так, словно задалась целью устроить здесь скандал и вывести меня из душевного равновесия. Нужно было слышать, каким тоном она разговаривала с Лианой, какие выражения она позволяла в разговоре со мной. Даже если я не ее отец, я старше этой девочки вдвое и мог потребовать элементарного уважения.

— Поэтому ты ее ударил?

— Я извинился. Она начала говорить гадости, и я не выдержал... Потом извинился.

— Это было первое свидание дочери с отцом. Тебе не кажется, что она просто нервничала и ее слова были защитной реакцией?

— Какой защитной реакцией? — не выдержав, закричал Чхеидзе. — Ты знаешь, что она мне посоветовала? Найдите молодую девушку, которая не будет вашей дочерью, и трахните ее от души. Вот это она мне сказала. Твоя воспитанная дочь. И я должен был молча это выслушать?

Ирина тяжело опустилась на стул.

— И ты действительно считаешь, что я должен

был молча слушать ее выпады? Как она издевалась надо мной! Она меня ненавидит, и в этом виновата только ты. Я не знаю, что ты ей рассказала, но она пришла сюда уже в таком состоянии, что готова была броситься на меня. Жаль, что ты не слышала весь наш разговор. Неужели ты не могла объяснить ей, что так нельзя себя вести? Или тебе обязательно нужно было передать ей свою ненависть ко мне? Такое привычное состояние любви и ненависти?

— Что я должна была ей объяснить? Что ты нас бросил много лет назад? Она не дурочка, а уже квалифицированный юрист. Все понимает без лишних объяснений.

— Я не знал, что у меня будет ребенок. Ты могла бы ей это рассказать. Я не виноват, что так получилось.

— А я так и сделала, — вздохнула Ирина, — я ей все рассказала. Все, как было на самом деле. Или ты забыл, почему мы с тобой расстались?

Он удивленно взглянул на нее:

— О чем ты говоришь?

— Неужели ты все забыл? О том, как мы с тобой поссорились у нас дома, как ты ушел от меня.

— Мы об этом говорили.

— Нет. Но ты так и не узнал, почему я не хотела тебя даже выслушать. Ты не хотел меня понимать.

— Каждый раз одно и то же. Почему я не хотел тебя понимать? Почему ты так решила?

— Я тогда поняла, что ты меня не любишь. И решила ничего тебе не говорить. Ни про ребенка, ни про мое отношение к тебе.

— Нужно было сказать...

— Нет. Я не могла ничего тебе сказать.

— Почему?

— Я узнала, что за несколько дней до этого ты встречался с Викой. Помнишь такую симпатичную блондинку из окружения Владика? Ты ведь знал, что я ее несколько раз видела. И как я к ней относилась. Она ведь никому из вас не отказывала. Но это не помешало тебе с ней встретиться.

— Кто тебе об этом рассказал? — спросил изумленный Давид.

— Не важно. Я точно знала, что ты с ней встречался. И после этого ты спрашиваешь, почему я тебе ничего не сказала? Может, это я должна была тебя спрашивать, почему ты позволил себе такое поведение? Как ты мог с ней встречаться, зная, что я об этом могу узнать? Как ты вообще мог такое сделать?

— Это Викентий, — ошеломленно произнес Чхеидзе, — он мог узнать у Владика и рассказать тебе. Какая сволочь! Так вот почему ты вышла за него замуж и ничего мне не сказала?

— Не важно. Я спросила у самого Владика, и он со смехом мне подтвердил, что вы просто «забавлялись». Он сказал именно это слово. В тот момент я хотела умереть.

— У нас ничего не было! — закричал Давид. — Какая ты дура! Нашла кому верить.

— И они все придумали?

— Да. Нет. Не совсем. — Он прошелся по комнате, собираясь с мыслями. — Черт возьми, почему ты не сказала мне тогда?

— Значит, ты с ней спал?

— Ничего я не спал, — он раздраженно махнул рукой, — я бы убил этого Владика своими руками. Сукин сын, как он мог тебе такое рассказать? Ведь он точно знал, что ничего особенного не было.

— Что значит «ничего особенного»?

Чхеидзе остановился. Взглянул на Ирину.

— У тебя тоже был нелегкий характер, — вдруг вырвалось у него, — нужно было хотя бы спросить у меня.

Он шумно выдохнул воздух.

— Мы поехали за город отмечать какую-то покупку. Вместе с Владиком. Нас было четверо парней. И мы сильно напились. Я никогда себе такого не позволял. Потом мы поехали обратно в город. Я был в таком состоянии, что ничего не помнил. Мы приехали к нему домой, и там оказались девочки, которые его ждали. Он им обещал достать какие-то заграничные колготки. Не помню точно, что он обещал, но девицы его ждали. Я даже не различал, кто там был. Одна была Вика, а другая ее подружка. С ними мы опять выпили. Потом двое ребят ушли, и мы остались с девочками и Владиком. Остальное я смутно помнил. Сначала мы отправились вместе принимать душ. Там кто-то упал, и мы все не помещались в маленькой ванне. В общем, дурачились, как дети. Но все были в купальных костюмах. А потом Владик предложил раздеться. Я не хотел, но они меня раздели...

— Насильно, — ядовито вставила Ирина.

— Нет, не насильно. Мне было смешно. Что потом было, я плохо помню. Но, кажется, мы с Викой действительно занимались чем-то таким... в общем, я не очень помню. Мы обливались водой, бегали по квартире, смеялись. Но я не считал, что изменяю тебе. Они все знали, что я любил только тебя. Это была такая... такая шутка.

— Представляю, что бы с тобой случилось, если бы ты узнал, что я «пошутила» подобным образом.

— Не говори так, — нахмурился Давид, — я тогда об этом совсем не думал. И утром даже забыл обо всем. Ты же знала Вику, она встречалась и с Владиком, и с остальными. Разве можно было к ней ревновать?

— Если ты спал с проституткой, то мне от этого не легче, — разозлилась в свою очередь Ирина, — нашел чем оправдываться. Поэтому я тебе тогда ничего и не сказала.

— А дочери все рассказала? — спросил Чхеидзе. — Не могла промолчать? Нашла время. Столько лет молчала и решила ей все высказать. Взяла «реванш» за мою случайную слабость?

— Я так не думала. Это не случайная слабость. Тебе было все равно, с кем и где встречаться. Тебе было неинтересно меня слушать. Ты не вспомнил обо мне, когда снова вернулся в Москву. И я ей все рассказала. И о наших отношениях, и о том, как ты позволил себе встретиться с этой Викой, и о том, как ты меня бросил. Потом я вышла замуж за Викентия и развелась с ним через два года. Я все рассказала дочери. Она в таком возрасте, что должна была уже знать правду. К тому же она далеко не дурочка и все прекрасно понимает сама.

— Тогда все понятно, — он еще раз тяжело вздохнул, — ты просто молодец. Решила отомстить мне таким необычным способом. Настроила против меня собственную дочь?

— Я только рассказала ей правду.

— Поэтому она и пришла ко мне в таком состоянии. Начала надо мной смеяться, издеваться. Предложила найти другую девушку, чтобы с ней встречаться. Как ты могла? Это нечестно с твоей стороны. Ты настроила против меня нашу дочь. Наплела ей кучу гадостей обо мне. И она приехала сюда уже в таком настроении. Ты все никак не можешь успокоиться. Тебе хочется свести со мной счеты. Ты поэтому рассказала мне о дочери, уже зная, как она себя поведет. А потом настроила ее против меня и прислала сюда, чтобы я получил по полной программе. И мы, конечно, поругались. Теперь ты удовлетворена? Или нужно еще что-то сделать, чтобы ты успокоилась?

— Не говори глупостей, — вздохнула Ирина, — я не стала бы отыгрываться таким образом. Подставляя тебя и нашу дочь. Это слишком серьезно, Давид, чтобы я могла так действовать. Неужели ты до сих пор ничего не понимаешь?

— И уже ничего не пойму, — ответил Чхеидзе, — если цыганка права, то жить мне осталось не так много. Кто-то завтра придет в этот номер и меня убьет. И ты наконец успокоишься. И наша дочь тоже успокоится. Всем будет хорошо, кроме меня.

— Не нужно так говорить, — попросила его

Ирина, — мне обещали завтра найти номер телефона этого эксперта. Он лучший специалист. Возможно, он тебе сможет помочь.

— В чем? — спросил Давид. — Он поможет мне наладить отношения с Тамарой? Или исправить мои глупые ошибки молодости? Чем он мне сможет помочь?

— Остаться в живых. Если ты веришь в это глупое предсказание.

— Он мне не поможет, — задумчиво произнес Чхеидзе, — но если сможешь, постарайся его найти. И еще одна просьба. Я бы хотел встретиться с нашей дочерью еще раз. Вы сможете завтра ко мне приехать?

— Я постараюсь ее уговорить. Хотя это будет достаточно трудно.

— Постарайся. Может, завтра мой последний день, — напомнил Давид.

— Не нужно об этом все время думать, — посоветовала Ирина, — а завтра я найду тебе этого специалиста.

— Действуй, — согласился Чхеидзе, — и прости меня, если я тогда был не прав. Ты меня простила?

— Нет. Конечно, нет. Я не могу тебя простить. И никогда не прощу. Но, возможно, я стала лучше понимать мотивы твоих поступков. И тогда, и сейчас. До свидания. Я поеду.

— Ты опять со своим молодым водителем? — чуть ревниво осведомился Чхеидзе. — Кто он такой? Почему он уступает тебе место? Почему спит в твоей машине?

— Неужели ты ревнуешь? — улыбнулась она, поднимаясь со стула. — Ему только двадцать пять. Ты помнишь, сколько нам лет?

— Это не ответ.

— Другого не будет. Ты не мой муж и никогда им не был. А моя личная жизнь — это моя жизнь, к счастью, не зависящая от тебя. До свидания. Я поговорю с Тамарой.

— Ты дала ей имя моей бабушки.

— Нет. Я дала ей имя грузинской царицы. Чтобы однажды рассказать девочке, кем был ее отец на самом деле. Но того мальчика уже давно нет, Давид. Ты изменился, и не в лучшую сторону. Стал таким нетерпимым, своевольным, подозрительным, мнительным. Может, тебе и правда не нужно было сюда приезжать. Даже через двенадцать лет. Мы редко меняемся в лучшую сторону. Обычно все дурные черты нашего характера проявляются уже в зрелом возрасте. Сказываясь и на нашем характере, и на нашей судьбе.

— Может, ты останешься у меня? — неожиданно предложил он. — Хотя бы сегодня.

— Ты опять ничего не понял. — Она поцеловала его в щеку и вышла из апартаментов.

На следующее утро он выпил стакан виски и, почувствовав себя плохо, с трудом добрался до ванной. Через час он позвонил Ирине и попросил срочно найти ему этого эксперта. А еще через некоторое время он снова перезвонил и предложил им приехать к нему на следующий день в двенадцать часов дня. Ирина поняла, что его маниакальная подозрительность достигла некоего предела и этот день, указанный цыганкой, он хотел провести один, не подпуская к себе никого, чтобы гарантировать свою безопасность. Она согласилась.

День третий.
РЕАЛЬНОСТЬ

Часы показывали половину четвертого, когда Дронго поднялся, чтобы приготовить своей гостье чашечку кофе. Он принес ей кофе и налил себе чай. Она взглянула на него несколько удивленно.

— Ты чем-то болеешь? — спросила Ирина.

— Нет.

— А почему ты не пьешь кофе?

— Не знаю, — улыбнулся Дронго, — я больше люблю чай.

Она взяла свою чашечку кофе.

— Я была у него вчера вечером, — повторила Ирина, — и мы договорились с ним встретиться сегодня днем. Тамару я уговорила поехать со мной. Но сегодня он мне перезвонил и предложил перенести нашу совместную встречу на завтра. Я очень удивилась. Но он попросил побыстрее тебя разыскать, и я поняла, что с ним опять что-то происходит. Он превращается к подозрительного маньяка, который уже никому не доверяет. Миллионы окончательно доконали Давида, он теряет чувство реальности. Я сообщила Тамаре, что он будет ждать нас завтра днем у себя в отеле. К счастью, завтра суббота и мы сможем нормально побеседовать.

— Он достал пистолет, — сообщил Дронго, — очевидно, взял оружие у кого-то из охранников. Представляю, сколько денег он заплатил. Но теперь он сидит один в своих апартаментах, отказывается от еды и воды и никого не пускает к себе. Даже Лиану и своего телохранителя. Это уже паранойя. Ты помнишь фильм «Авиатор»? Он как раз о Говарде Хьюзе, которого доконали его огромные деньги. Под конец своей жизни он не выходил из отеля, и ему повсюду мерещились микробы.

— Давид еще пока не такой, — возразила Ирина.

— Пока, — сказал Дронго, — только пока. Но с годами эти дурные черты будут прогрессировать и развиваться.

— Убедил, — кивнула она, — я не выйду за него замуж. Честно говоря, в третий раз мне совсем не хочется замуж.

— Меня беспокоит твой водитель. Может, мы предложим ему подняться к нам? Он живет в твоей квартире? Это твой друг?

— Давид задавал такие же вопросы. Только он ревновал, уже увидев его, а ты, еще не видя парня, готов пригласить его к себе, — задумчиво произнесла Ирина. — Не беспокойся. Он будет спать в машине. Мы въехали к вам во двор, а у вас есть охрана, и поэтому ему ничто не грозит. К тому же он спортсмен.

— Сколько ему лет?

— Двадцать пять. И я не занимаюсь совращением малолетних, если ты об этом подумал. Он мой племянник, сын моей старшей сестры. Очень хороший мальчик. Сейчас он подрабатывает у меня, а с нового года уезжает в Америку.

— Удобно, — согласился Дронго, — представляю, как нервничал Давид, увидев этого парня. Ты сказала ему, что он твой племянник?

— В отличие от тебя он не думал о моем водителе и не предлагал пригласить его к себе в номер. Он уже привык не думать об обслуживающих его людях. По-моему, он спит с Лианой, но делает это настолько бездушно и отстраненно, что это нельзя назвать даже обычными интимными отношениями. Просто оба выполняют какой-то особенный ритуал.

— У него много работы, — напомнил Дронго, — он крупный бизнесмен и холостой человек. Ему трудно приходится одному. И тем более искать себе женщину в поездках. С этой точки зрения Лиана — идеальный вариант для Чхеидзе.

— Ты еще пытаешься его оправдать. Как странно. Вы тогда оба были очень похожи. А сейчас совсем разные. Он пытается обвинить всех, выгораживая себя. А ты пытаешься всех понять. Это сказывается разный жизненный опыт?

— Не знаю. Вполне вероятно. Ты пришла ко мне через столько лет, и я сразу подумал: как здорово ты изменилась. Ты тоже стала совсем другой.

Она поставила чашечку на столик.

— Я скоро уйду, — сообщила Ирина, — и завтра мы с тобой встретимся. Ты больше ничего не хочешь мне сказать? Может, Давид придумал очередную пакость и собирается устроить нам какую-то проверку?

— Даже если так, то я тебе ничего не скажу. Ты сама нашла меня и рекомендовала как эксперта. С той минуты, как я с ним переговорил, я уже не могу раскрывать его секретов. Считай, что это профессиональная тайна.

— Ясно. У меня к тебе только один вопрос. Если хочешь, можешь не отвечать. Но если будешь отвечать, постарайся ответить предельно честно. Договорились?

— Постараюсь. Но это зависит от вопроса.

— Я тебе нравлюсь?

— Смешной вопрос. Конечно, нравишься. И тогда нравилась. Ужасно нравилась. У тебя были умные глаза. У многих женщин глаза бывают пустые.

— Курица не птица, Болгария не заграница, а женщина не человек, — вспомнила она.

— Сейчас выяснилось, что курица самая настоящая птица, и у нее даже нашли птичий грипп, — напомнил Дронго. — Болгария уже не просто заграница, она полноправный член Евросоюза. И, наконец, насчет женщин. Сегодня в мире такое количество президентов и кандидатов в президенты — женщин, что уже пора спасать мужчин. А пустые глаза встречаются у мужчин сегодня чаще, чем у женщин.

— Ты ловко ушел от ответа.

— Ничего не ушел. Ты мне ужасно нравишься. И сейчас тоже. Твои очки придают тебе какой-то особый шарм. Ты хорошо выглядишь, сохранила хорошую фигуру, красиво одета. Ты хочешь, чтобы я говорил тебе комплименты?

Она поправила волосы.

— Ты знаешь, как интересно сложилось, — неожиданно произнесла она, — я два раза с ним встречалась, и он оба раза предложил мне у него остаться. Оба раза. А ты делаешь все, чтобы поскорее меня выпроводить. Может, ему я нравилась больше, чем тебе? Или действительно другой опыт восприятия?

— Хочешь, чтобы я честно ответил? — спросил Дронго. — Я могу тебе ответить. У меня нет никаких комплексов. Во всяком случае, я так полагаю. Я и тогда считал, что жизнь бесценный дар, который дарят нам бог, родители или природа. И жить нужно так, чтобы не доставлять неприятностей другим людям. Я за всю свою жизнь ни разу никого не насиловал. Я не имею в виду физическое насилие, ты меня понимаешь. Я старался не навязывать свою волю другим людям, старался понимать их проблемы, чувствовать их состояние. Ты мне тогда очень понравилась. Но за два дня до того, как я тебя увидел, у меня была другая женщина, тоже случайная и очень красивая. А потом я увидел тебя. И все три наши встречи я запомнил. Особенно последнюю, когда мы говорили до утра. Я не мог ничего от тебя требовать. Ты была замужем, и я не хотел склонять тебя к разводу. Поэтому не спрашивал про твои планы и ничего не говорил о своих. Я считал, что не имею права вмешиваться в твою жизнь.

Наверное, я был молодым эгоистом, какими мы все бываем в молодые годы. Но сегодня, изменившись, я остался верен тем принципам, которые исповедовал в молодости. Ты нашла меня, чтобы помочь человеку, которого ты любила. Я помню, что ты мне про него говорила. Возможно, ты всю свою жизнь любила только его одного. Говорят, что женщина всегда помнит своего первого мужчину. И ты позвонила, чтобы я ему помог. А теперь, через столько лет, мы с тобой снова увиделись. Ты стала гораздо лучше. И я могу только мечтать, чтобы встретиться с такой женщиной, как ты. Но опять эта дурацкая дилемма. Ведь я ничего не знаю о твоей личной жизни. Твой водитель-племянник меня вдохновил, конечно. Если он остается в твоей квартире, значит, там по крайней мере нет другого мужчины. Но навязываться, даже спустя столько лет, я не могу и не хочу.

— Ты женат? — спросила Ирина.

— Не в этом дело. Дело в наших отношениях. В отличие от Давида я никогда не считал тебя своей собственностью. И всю жизнь с благодарностью вспоминал нашу встречу в Румынии. Я могу рассказать и продолжение этой истории. Потом я уехал в Болгарию. Ты была права, там были самые красивые молодые женщины. С одной из них я встречался. А потом они уехали, и я остался один. Вот такая история. Я не был таким невероятным мачо, каким сейчас можно меня представить. Я был обычным молодым человеком, которому нравились красивые женщины и который не отказывал себе в удовольствии. Если бы нам было сейчас по двадцать пять, возможно, я снова предложил бы тебе выпить на брудершафт и попросил бы тебя остаться. Но нам не двадцать пять, Ирина, а гораздо больше. И я не имею права вести себя таким образом, вторгаясь в твою личную жизнь. Прошло слишком много лет, и я научился вести себя как джентльмен. Во всяком случае пытаюсь.

— Интересно, — медленно произнесла она, — а если я попрошу тебя найти мне тот самый рижский бальзам и снова выпить со мной на брудер-

шафт? Как ты себя тогда поведешь? Откажешь-
ся? Или найдешь бальзам?

Она смотрела ему в глаза. Он улыбнулся.
Молча поднялся и вышел на кухню. Через минуту
вернулся. В руках у него была бутылка рижского
бальзама и две рюмки. Он разлил бальзам в рюмки, взглянул на женщину. Она взяла одну рюмку.
Он взял вторую.

— На брудершафт, — предложила Ирина.

Руки снова переплелись. Они выпили. Поста-
вили рюмки на столик.

— Кажется, нам следует поцеловаться, — напомнила она.

Он наклонился. Поцелуй был продолжитель-
ным. Наконец она с силой оттолкнула его от себя.

— Неужели мне нужно еще и раздеть тебя,
чтобы ты наконец все понял? — спросила Ирина.

— Я боюсь, — признался он, глядя ей в глаза.

— Что ты сказал?

— Боюсь, — повторил он, — меня пугает некая
тождественность наших отношений с тобой. Такое ощущение, что я иду по следам Давида. Тождественность любви и ненависти.

— У него я не осталась, — чуть покраснела
Ирина, — хотя он и предлагал. Раньше ты ничего
не боялся.

— Раньше я не знал Давида.

— Тебе не кажется, что мы торгуемся? Я прошу тебя мне что-то дать, а ты отказываешься. Извини. — Она попыталась подняться, но он схватил ее за руку. На этот раз поцелуй был коротким. Они начали раздеваться, помогая друг другу.

— Только не пытайся поднять меня на руки и отнести в спальню, — попросила она, когда одежда была сброшена, — мы уже не в том возрасте.

— В таком случае попробуем, — предложил он, поднимая ее на руки. Она только ахнула, успев обхватить его шею руками.

День четвертый.
РЕАЛЬНОСТЬ

Ирина уехала в шестом часу утра. И он снова отправился в душ. Вспомнил, что он подумал сегодня вечером, когда она ему позвонила, и улыбнулся. Женщина и в сорок с лишним лет бывает прекрасной.

Он снова улыбнулся. Кажется, он начинает пересматривать свои взгляды, после того как ему самому исполнилось сорок. Хотя он где-то слышал, что сейчас сместились понятия возраста. До сорока пяти можно считать человека молодым, а до шестидесяти пяти достигшим зрелого возраста. Или это очевидный самообман? Нет. Им было гораздо интереснее и лучше сейчас, чем двадцать с лишним лет назад. Гораздо интереснее. Его возбуждал даже ее заинтересованный взгляд умной и все понимающей женщины. Они старались доставить друг другу удовольствие, тонко чувствуя состояние своего партнера. Гимн сорокалетним, подумал Дронго. Или все действительно поменялось.

А у Давида она не осталась, удовлетворенно подумал он. Наверное, не потому, что он был ей физически неприятен. Она все еще не может простить ему историю с этой девицей. И свое неудачное замужество. И жизнь своей дочери, по существу выросшей без отца. Вот этого она никогда не сможет простить своему бывшему другу.

Дронго вышел из ванной. Если не произойдет ничего необычного, завтра они соберутся в отеле, чтобы наконец успокоить приехавшего гостя и убедить его в отсутствии всякой опасности. Случайная авария — и Чхеидзе поверил, что его действительно хотят убить. Дронго прошел к своей разобранной постели. Он заснул почти мгновенно, едва его голова коснулась подушки. И проснулся от телефонного звонка. Он взглянул на часы. Только половина девятого. Дронго поморщился. Кто опять мог позвонить ему в такое раннее время?

Он услышал, как включился автоответчик. И взволнованный женский голос произнес:

— Господин Дронго, вы нам срочно нужны. Перезвоните в отель «Националь». У нас случилось несчастье.

Он узнал голос Лианы. Сразу вскочил с кровати, бросился к телефону и набрал номер отеля. Попросил соединить с апартаментами, в которых жил Давид Чхеидзе. И почти сразу услышал чужой мужской голос.

— Позовите к телефону господина Чхеидзе, — потребовал Дронго.

— Кто его спрашивает? — спросил незнакомец.

— Я эксперт и консультирую господина Чхеидзе, — пояснил Дронго.

Неизвестный попросил его подождать и кому-то передал трубку.

— Кто это говорит? — спросила Лиана.

— Что произошло? — спросил он. — Вы мне только что позвонили.

— Приезжайте к нам, господин Дронго, — попросила Лиана, — у нас случилось несчастье. Сейчас сюда приедут сотрудники прокуратуры и милиции. Нам нужна ваша помощь. Господину Самойлову я уже позвонила. Но он находится за городом, на даче.

— Что случилось? — спросил он, догадываясь, каков будет ответ.

— Его убили, — коротко сообщила Лиана, — вы можете приехать прямо сейчас?

— Я буду минут через сорок, — огорченно произнес Дронго.

Через сорок пять минут он подъехал на такси к «Националю». Когда его требовали так срочно, он не мог позволить себе терять время на вызов своего водителя. Поэтому он вызвал такси и приехал в отель. Внизу уже суетились охранники, стояли машины милиции и прокуратуры. Кто-то из охранников узнал в нем вчерашнего гостя и пропустил наверх. В коридоре тоже толпились люди. Он попросил вызвать Лиану, и она вышла к нему взволнованная и немного растрепанная. Волосы были не уложены, макияж отсутствовал. Было заметно, как она переживает.

— Как это случилось? — мрачно спросил Дронго.

— Утром я ему позвонила, — явно нервничая, сообщила Лиана, — он ответил, что смотрит телевизор. Было около семи утра. Я предложила ему заказать завтрак, но он отказался, попросил достать ему воду в запечатанных бутылках. Только в стеклянных. Я заказала внизу. Когда официант к нему постучал, он не ответил. Тогда официант постучался ко мне. Мы долго стучали, звонили. Я даже звонила на его личный мобильный — бесполезно. В номере стояла тишина. И тогда мы с Гюнтером решили войти. Нам открыли дверь, и мы вошли в его апартаменты. Он лежал на полу. Вебер сразу сказал, что он уже умер. Мы вызвали дежурного портье, позвонили в милицию. Потом я позвонила вам.

— Как он умер?

— Я не знаю. Мы вошли, он лежал на полу.

— Вы не поняли вопроса. Ему нанесли огнестрельную рану? Ударили чем-то острым? Была кровь, рана? Или никаких видимых травм?

— Крови не было, — уверенно ответила Лиана, — и никакой раны я не видела. Я думаю, что его отравили. Он боялся, что они могут его отравить.

— Кто «они»? — сразу уточнил Дронго.

Она отвела глаза.

— Это я оговорилась, — сказала Лиана.

— Понятно. В разговоре с сотрудниками милиции вы тоже «оговаривались»?

— Нет. Не нужно на меня так смотреть. Я просто предполагаю, что его могли отравить.

— Вы уже звонили Ирине или ее дочери?

— Нет, — глаза у нее потемнели от гнева, — нет, я не звонила. Не считала нужным. Вы эксперт по вопросам преступности, и вам поручили его охранять. При чем здесь они?

— Он не просил меня его охранять, — устало возразил Дронго, — хотя я предлагал свои услуги. Вы нашли его пистолет?

— Какой пистолет? — спросила Лиана. — У него никогда не было никакого оружия.

— Не сомневаюсь, — ответил Дронго, — это я тоже случайно «оговорился». Узнайте, кто там следователь, и расскажите ему обо мне. Может, он разрешит мне войти.

— Сейчас поговорю. — Она уже повернулась, чтобы уйти, но не удержалась чтобы спросить: — А разве Давид Георгиевич не говорил вам, что вчера утром его пытались отравить?

— Не говорил, — зло ответил Дронго, — а может, говорил. Я точно не помню. Идите, Лиана. Будет лучше, если вы не станете вмешиваться в расследование его смерти. Так будет лучше для всех, поверьте мне, Лиана.

Она повернулась и вошла в апартаменты. Там работали сотрудники прокуратуры и бригада, приехавшая из МВД. По коридору прошли двое неизвестных. Они показали свои удостоверения стоявшему у дверей сотруднику милиции, и тот кивнул, пропуская обоих. Это были офицеры ФСБ. Дронго терпеливо ждал, когда его позовут.

Наконец дверь открылась, и вышедший сотрудник милиции позвал его в апартаменты. Внутри были человек восемь. Все беспрерывно ходили по комнатам, явно мешая друг другу. Дронго взглянул на тело, внимательно посмотрел на лицо погибшего. Труп лежал на ковре, около стола. Рядом находился опрокинутый стул.

— Кто вы такой? — поинтересовался один из мужчин, стоявших у стола. Ему было лет сорок. У него были редкие рыжеватые волосы, щеточка рыжих усов, светло-карие глаза, узкий вытянутый нос. Небольшие глаза. Незнакомец недовольно смотрел на Дронго.

— Погибший приглашал меня к себе в качестве частного эксперта, — пояснил Дронго.

— Какого эксперта? — не понял рыжий. Он обратился к кому-то из сотрудников милиции: — Денисов, разберись, кто это такой. — Очевидно, сам говоривший был из прокуратуры.

К Дронго подошел молодой человек лет тридцати. У него была добрая улыбка, курносый нос, круглое лицо.

— Кто вы такой? — спросил Денисов. — Покажите ваши документы.

Дронго достал документы.

— Ничего не понимаю, — ответил Денисов, — при чем тут какой-то Драго, о котором нам говорили? Кто вы такой? Что вы здесь делаете? Почему вы сюда приехали? У вас есть разрешение на жительство в Москве? Вы ведь иностранец?

— Мое государство выдало мне дипломатический паспорт, — пояснил Дронго, показывая документы, — кроме того, у меня есть паспорт Монако. Как известно, лицам, владеющим дипломатическими паспортами, не нужна регистрация в Москве.

— Кто такой Драго, о котором говорила нам секретарь погибшего? — спросил ничего не подозревающий Денисов. Он был молод. Ему было не больше тридцати. Откуда ему было знать, кто такой Дронго.

— Я не слышал про Драго, — ответил он, — но если она сказала: Дронго, то это действительно я. Меня обычно так называют. Я эксперт по вопросам преступности. Вчера вечером погибший пригласил меня для консультаций по вопросам обеспечения его безопасности.

— Какие консультации вы ему дали? — усмехнулся Денисов. — Если его убили.

— Почему вы думаете, что его убили? На теле есть признаки насильственной смерти?

— Нет. Но на столике была бутылка виски. Нам на нее указала секретарь погибшего бизнесмена. Мы пока ничего не утверждаем, но, судя по всему, виски было отравлено.

— Возможно, отравлено, — согласился Дронго, — и вы думаете, что он пил из бутылки?

— Конечно. Выпил и умер. В ванной комнате лежит опрокинутая рюмка. Наверное, успел добраться до ванной, а потом вернулся в комнату и умер. Так иногда случается. Говорят, что погибший Чихидзе был очень богатым человеком. Наверное, у него была куча наследников, которые желали его смерти.

— Кто вы по званию? — печально спросил Дронго.

— Старший лейтенант. Вам не нравится мое звание?

— Нравится. А это кто? — показал он на рыжеусого.

— Заместитель прокурора Центрального округа, — с уважением ответил Денисов, — Павел Александрович Мужицкий.

— Начнем с того, что фамилия погибшего не Чихидзе, а Чхеидзе, — сообщил Дронго, — и он не мог отравиться, выпив содержимое этой бутылки, на которую вы показываете.

— С чего вы взяли?

— Я абсолютно уверен. Ищите причину смерти в другом. Возможно, он выпил из другой бутылки, которой здесь нет. Или что-нибудь съел. И еще поищите оружие. Вполне возможно, что здесь где-нибудь вы найдете оружие.

— Какое оружие? — поинтересовался Денисов.

— Не знаю какое, но у него могло быть оружие, — уклонился от прямого ответа Дронго.

К ним подошел недовольный Мужицкий.

— Денисов, может, ты наконец закончишь свою болтовню? — недовольно спросил он. — Ты выяснил, кто это такой?

— Так точно. Он эксперт по вопросам преступности. Его называют господин Драго.

— Дронго, — поправил он несчастного старшего лейтенанта.

— Дронго, — согласился Денисов, — но он утверждает, что погибший не мог отравиться.

— Почему он так считает? — Мужицкий стоял рядом с Дронго, но принципиально с ним не разговаривал, предпочитая говорить с Денисовым. Словно не удостаивая гостя своим высоким вниманием.

— Не знаю, — Денисов посмотрел на Дронго, — он еще просит, чтобы мы поискали оружие.

— Какое оружие? — поморщился Мужицкий. — Его точно отравили. Бутылку нужно послать на экспертизу. Она даже пахнет синильной кислотой. Это я могу сказать и без предварительной экспертизы. А ты мне про оружие говоришь.

— Это не я говорю, а он, — несколько сконфуженно показал на Дронго Денисов.

— Ты все уже выяснил, — махнул рукой Мужицкий, — ну и отправляй его домой. Он здесь ночью не был. И нам не нужен. Допроси всех охранников. Кто входил и кто выходил.

— Они говорят, что последним входил вот этот господин. А потом ночью никто не входил. Но погибший разговаривал со своим секретарем и попросил принести ему воду в стеклянных закрытых бутылках.

— Допроси секретаря, — решил Мужицкий, — и этого типа. Потом доложишь. И учти, что у нас все равно будет куча разных неприятностей. Этот грузин был гражданином Германии, и сейчас сюда приедет их представитель.

— Нам уже сообщили из посольства, — кивнул Денисов, — посольство требует, чтобы мы допрашивали их граждан в присутствии немецкого консула.

— Раз требуют, так и сделай, — отмахнулся Мужицкий, — а этого допроси сейчас, — показал он на Дронго.

— Извините, — нерешительно произнес Денисов, — он тоже...

— Что еще?

— Я не смогу его допросить. У него дипломатический иммунитет.

— Какой иммунитет? Что за глупости?

— У него дипломатический паспорт. И он говорит, что есть еще один. Из Монако. Я не имею права.

Заместитель прокурора взглянул наконец на Дронго.

— Как вас зовут?

— Меня обычно называют Дронго.

— В чем дело, господин Дронго? — в отличие от Денисова заместитель прокурора сразу запомнил его прозвище. — Кто вы такой? Нам не нужна помощь иностранцев. Зачем вы сюда приехали?

— Я хотел вам помочь. Дело в том, что я вчера поздно ночью уехал из апартаментов, когда господин Чхеидзе был еще жив.

— Он вам ничего не говорил?

— Говорил. Боялся, что его отравят.

— Его и отравили. Он выпил яд из этой бутылки и умер.

— Извините, но я так не считаю, — возразил Дронго.

— Почему? — удивился Мужицкий.

— Вчера утром он уже пытался выпить виски из этой бутылки. И ему стало плохо. Насколько я знаю, его сильно тошнило и он даже хотел вызвать врача. Поэтому я уверен, что он не стал бы второй раз пить из этой бутылки.

— Мы все равно проверим содержимое бутылки, — упрямо сказал Мужицкий. — И больше вы ничего не хотите нам сообщить?

Дронго подумал, что может рассказать целую сагу. И о цыганке, и о возвращении Давида Чхеидзе. И о его запутанной истории отношений с Ириной и дочерью. И об аварии, в которой погиб руководитель компании Касаткин. О вчерашнем отравлении погибшего. О пропавшем оружии. Он многое мог рассказать. Но, глядя в упрямые и нетерпеливые глаза Мужицкого, он решил ничего больше не говорить.

— Извините, — сказал Дронго, — я больше ничего не знаю.

— Тогда оставьте свои контактные телефоны, — предложил заместитель прокурора, — вдруг вы нам понадобитесь. И до свидания. Не нужно мешать здесь работать нашей группе.

— Разумеется, — согласился Дронго, — я не буду мешать.

Он повернулся и увидел Лиану, которая стояла у дверей. Ее пригласили, очевидно, в качестве свидетеля, который мог дать объяснения по всем интересующим вопросам. Лиана все слышала. Когда Дронго пошел к дверям, она его окликнула.

— Вы почему ничего не сказали? — строго спросила Лиана. — Вы же все знаете.

— Я думаю, что они сами во всем разберутся, — ответил Дронго, — до свидания.

— Подождите, — остановила его Лиана, — так нельзя. Вы должны им все рассказать.

— Вот вы им все и расскажите. Заодно попытайтесь вспомнить, куда исчез его пистолет.

— Какой пистолет? — почему-то шепотом спросила Лиана.

— Тот самый, — улыбнулся он на прощание, — который был у него все время в руках. Я думаю, вам будет о чем рассказать следователям.

Он вышел в коридор, спустился в холл. Достал мобильный телефон и позвонил своему другу.

— Эдгар, мне нужно срочно сделать анализ жидкости. Образцы у меня есть. Когда ты сможешь ко мне приехать?

— Прямо сейчас, — сразу ответил Вейдеманис.

— Тогда я тебя буду ждать. — Он убрал телефон.

Нужно позвонить Ирине, подумал он, выходя из отеля. Обязательно нужно позвонить Ирине. Но как он может сообщить ей о смерти Давида

Чхеидзе? После вчерашней ночи. Нет, он просто не сможет сказать ей эту новость. А не звонить тоже невозможно. Она ведь все равно узнает, что он здесь был. Дронго поморщился. В таком сложном положении он давно не был. Звонить или не звонить? Он будет человеком, который сообщит ей о смерти отца ее дочери. Она так хотела их помирить. А может, она знала о его возможной смерти и поэтому пришла к нему, чтобы заранее подготовить Дронго к подобному происшествию. Ведь она не просто пришла, а рассказала то, что скрывал Давид Чхеидзе. И о том, как он изменил ей в молодости. И о том, что она встретилась с ним во второй раз. И снова ему отказала. И о том, как прошла встреча дочери с отцом. Он ведь хотел их увидеть, но затем передумал, назначив встречу на утро этого дня.

Неужели я ее подозреваю? — подумал Дронго. Неужели она могла вот так хладнокровно и спокойно спланировать убийство своего бывшего друга? Но зачем? Месть через столько лет? Нет, этот мотив не подходит. Но она умная женщина и могла все верно рассчитать. Возможно, она считает, что он многое недодал своей дочери. И теперь решила взять своеобразный реванш. Ведь в случае смерти Давида Чхеидзе его единственным наследником остается их совместная дочь. А это уже мотив достаточно серьезный. Дочь становится одной из самых богатых женщин в стране, получает колоссальное наследство. Она, конечно, не попадет в список миллиардеров «Форбса», но в элитный список европейских мультимиллионеров она наверняка попадет. Неужели это Ирина? Он не знал, как ему быть. И медленно поднимался по Тверской, продолжая размышлять.

День четвертый. РЕАЛЬНОСТЬ

Он приехал домой, где его уже ждал Вейдеманис. Дронго передал ему образцы для анализа и поднялся к себе. Нужно было решаться. Он взял телефон и решил позвонить... Но передумал. Вместо этого он позвонил своему водителю, попросив его приехать за ним. Во всех трех городах, где он обычно жил, — в Москве, Риме и в Баку, — он имел одинаковые автомобили «Вольво», которые очень любил. Они его как-то успокаивали и внушали доверие. Однажды один из его водителей попал в невероятную катастрофу, когда в машину врезался на полной скорости семиместный джип. Водителя спасла подушка безопасности, и он почти не пострадал, хотя машина была разбита вдребезги. С тех пор Дронго не менял эту марку, предпочитая ее всем остальным.

Водитель приехал через двадцать минут. Они поехали в редакцию журнала, где главным редактором работала Ирина Миланич. Он вошел в монументальное здание, где находилась в том числе и редакция журнала. В холле здания его остановил дежурный, попросивший пропуск. Тогда Дронго позвонил Ирине.

Через несколько секунд Ирина подняла трубку.

— Что случилось? — крикнула она взволнованным голосом. — Что-нибудь с Тамарой? Я звоню ей, и она не отвечает.

— Я ее даже не видел, — ответил Дронго, — я могу к тебе подняться?

— Где ты находишься? Ах, да. Конечно. Я совсем потеряла голову. Сейчас скажу, чтобы тебе выписали пропуск. Поднимайся быстрее.

Ему выписали пропуск, и он поднялся на пятый этаж, где находилась редакция журнала. В этот субботний день здесь было меньше людей, чем обычно. Но Ирина находилась в своем просторном кабинете, работая над очередным номером журнала. Девушка-секретарь, увидев Дронго, мило улыбнулась, поднимаясь со своего места и пропуская его в кабинет главного редактора.

— Зачем ты приехал? — бросилась к нему Ирина.

Она была в элегантном бежевом платье от Эскада. Он обратил внимание на ее серьги и браслет. Это была явно дизайнерская работа неизвестного ему мастера.

— Ты сегодня потрясающе выглядишь, — сказал он, отступая на шаг, — я даже немного завидую тому мужчине, с которым ты сегодня ночью встречалась.

Она чуть покраснела, прикусила губу.

— Ты еще не разучился говорить комплименты, — кивнула Ирина, — быстро говори, что случилось. Ты бы просто так сюда не приехал. Ведь тебе нужно было оказаться в «Национале» раньше нас всех.

— Я уже там был, — сообщил Дронго.

— Он нас ждет? Что там случилось? Почему ты приехал?

Ирина смотрела на него расширяющимися от ужаса глазами. Если она убийца, то сыграть так просто невозможно.

— Его уже нет, — сказал он, словно бросаясь в холодную воду.

Она ахнула. Открыла рот, намереваясь что-то спросить. И вдруг, словно споткнувшись, бросилась к Дронго, едва не упав. Он поддержал ее.

— Не может быть, — прошептала она, — не может быть.

На глазах у нее появились слезы. Она беззвучно заплакала. Было очевидно, что это известие ее потрясло.

— Как это могло случиться? — спросила она, поворачиваясь к нему. — Кто его убил? Когда?

— Я не знаю подробностей, — признался Дронго, — он всю ночь провел один в своих апартаментах. Утром попросил принести ему воду в бутылках. Примерно в семь часов утра. Когда открыли дверь, он лежал на полу. Рядом находился опрокинутый стул. Сотрудники прокуратуры и милиции считают, что его отравили...

— Конечно, отравили, — сразу перебила его Ирина. У нее потекла тушь, и она достала из сумочки носовой платок, чтобы вытереть лицо. — Я уверена, что его отравили. Извини, я сейчас приду.

Она подошла к шкафу, который был у нее за спиной, открыла дверь и куда-то исчезла. Очевидно, там была еще одна небольшая комната. Дронго удивился, но ничего не спросил. Он терпеливо ждал, пока она приведет себя в порядок и снова появится перед ним. Ждать пришлось минут семь или восемь.

— Его отравили, — снова повторила она, входя в комнату, — и я знаю, кто это сделал.

— Кто?

— Его секретарь. Эта дамочка, которая так нервно на все реагировала. Дочка мне сказала, что она затряслась, когда услышала, что у ее босса есть дочь. Наверное, мечтала сама выскочить за него замуж. Обслуживала его по ночам и мечтала о богатом супруге. Вот такая дрянь. Эти секретарши всегда бывают гораздо более ловкими особами, чем мы думаем. И гораздо более сообразительными.

Очевидно, она забыла, что ее собственная дочь тоже работала почти секретарем у Касаткина, хотя ее должность именовалась как «помощник президента».

— Она поняла, что ей ничего не светит, и отравила его, — зло предположила Ирина, — он никому не доверял, кроме нее. И только она могла его отравить.

— Успокойся, — посоветовал Дронго, — там сейчас работают сотрудники прокуратуры и милиции. Я даже видел, как туда приехали офицеры ФСБ. Я думаю, что они все проверят.

— Я так и думала. Я была уверена, что его убьют. Он слишком доверял всем, кто его окружал. Он всегда был таким доверчивым человеком.

Ему нужно было умереть, чтобы она его пожалела, подумал Дронго. Или это обычная женская жалость. Он несправедлив. В конце концов погибший был ее первой любовью и отцом ее ребенка.

— Даже не представляю, что я скажу Тамаре, — растерянно добавила Ирина, — она согласилась поехать со мной. Я с таким трудом ее уговорила встретиться с ним еще раз.

— Могло получиться только хуже, — неожиданно произнес Дронго.

— Почему хуже? Что ты говоришь? Что ты имеешь в виду? — Она все-таки нервничала.

— Он собирался провести своеобразный эксперимент, — пояснил Дронго, — хотел выяснить, кто мог желать его смерти. Сейчас об этом уже можно говорить. Я рассказал тебе о том, что его чуть было не отравили.

— Это была Лиана, — перебила его Ирина, — я об этом уже думала. Ты не рассказывал подробностей. Что произошло?

— Дело в том, что вчера утром он выпил немного из той бутылки виски, которую открыл в день твоего появления в отеле. И тогда вы с ним выпили примерно треть бутылки.

— Пил в основном он. Не делай из меня алкоголичку, — несколько обиженно заметила Ирина, — я почти не пила.

— Но ты пила вместе с ним. Даже если сделала один глоток. А это значит, что виски был хорошим. Но через два дня, вчера утром, когда он снова налил себе немного виски, он чуть не умер. Во всяком случае, именно так он мне сказал. Его стошнило, и он едва успел добежать до ванной. Сам Давид считал, что его спас телефонный звонок. Позвонил Самойлов и начал с ним разговаривать, а за это время в стакане с виски растаяли кубики льда, которые он туда бросил. Они разбавили яд, который мог быть в его стакане, и поэтому он не погиб.

— Нужно было сразу проверить, кто мог положить туда яд, — стукнула она кулаком по столу, — эту бутылку открывали в моем присутствии. И я из нее пила.

— Он так и хотел сделать, — пояснил Дронго, — собираясь поменять содержимое бутылки и демонстративно налить всем, кто его окружал, виски. А потом предложить выпить за его здоровье. Такой примитивный трюк. Но достаточно действенный, как он полагал. Тот, кто отказался бы пить, и вызывал бы наибольшие подозрения.

— Нет, — сказала она, испуганно глядя на Дронго и прижимая руки к горлу, словно защищаясь, — не может быть. Неужели он собирался провести такую грубую проверку? И ты молчал?

Почему ты мне ночью ничего не сказал? Не рассказал, как он будет нас проверять. Как ты мог молчать?

— Не понимаю, что тебя так пугает.

— Какой кошмар, — она тяжело вздохнула, — Тамара терпеть не может виски. Она бы отказалась пить. И он бы решил, что это она... Господи, какой ужас. Почему ты мне ничего не сказал вчера? Ты обязан был мне рассказать.

— Откуда я мог знать, что она не любит виски? Ты сама послала меня к нему и предложила ему помочь. Он считал, что мое присутствие поможет ему выявить подозреваемого.

— Вы оба ужасные люди, — нервно заявила Ирина, — и мне кажется, что в вас гораздо больше сходства, чем различий.

— Уже нет, — возразил Дронго, — он уже там, а я пока здесь.

— Хватит. — Она прошла к своему креслу, села. Поискала глазами что-то. Протянула руку, разбирая бумаги, лежавшие на ее столе. Затем выдвинула ящик стола, достала пачку сигарет, зажигалку. Закурила.

Он покачал головой. Вчера ночью она не курила.

— Не смотри так удивленно, — попросила она, — вчера ночью у меня не было с собой сигарет. Я стараюсь курить как можно меньше, только когда нервничаю.

— Я хотел тебя спросить вчера ночью, но не решился, — признался он, — у тебя волосы пахнут сигаретами. Так обычно бывает у курильщиков.

— Тебе было неприятно?

— Нет. Но я за всю жизнь не выкурил ни одной сигареты. Поэтому чувствую любой запах табака.

— Что нам делать? — спросила она его. — Теперь, когда ты точно знаешь, что мы его не убивали?

— В каком смысле?

— Не знаю. Я даже не представляю, что нужно делать. Тамара считается его наследницей? Или нет? Нас вызовут в прокуратуру и, наверное, решат, что она главный подозреваемый. Ведь только ей было выгодно, чтобы он погиб.

— Не говори глупостей, не только ей.

— Я сейчас позвоню Тамаре. Куда пропала эта дрянная девчонка? — Ирина достала мобильный телефон и начала набирать номер, но тут позвонила секретарь.

— Ирина Дмитриевна, к вам приехала ваша дочь. Она сейчас поднимается к вам.

— Очень хорошо. Спасибо. — Она убрала телефон.

— У тебя есть своя комната отдыха, как у высокопоставленных чиновников, — пошутил он, чтобы разрядить напряжение.

— Во время ремонта я устроила там небольшую комнату, чтобы приводить себя в порядок, — пояснила Ирина, — нельзя выпускать гламурный журнал и самой не следить за модой.

Через минуту в ее кабинет вошла Тамара. На ней была замшевая куртка и немного расклешенная юбка до колен. Она вошла в комнату и взглянула на Дронго. Через плечо девушки была перекинута изящная сумочка от Виттона в виде небольшого бочонка с узнаваемыми логотипами на коричневом фоне.

— Добрый день, — поздоровалась Тамара с незнакомцем, — здравствуй, мама. Что случилось? — Она увидела лицо матери. — Ты куришь?

— Давид Георгиевич погиб, — сообщила мать, глядя на дочь.

— Как это погиб? — спросила она неестественно высоким голосом. — Что ты говоришь?

— Его убили, — сухо произнесла Ирина.

Дочь отшатнулась. Потом взглянула на Дронго. Растерянно произнесла:

— Не может быть.

Она не знала, как себя вести. Плакать не хотелось, для этого она слишком мало знала своего настоящего отца. Выражать особую скорбь было проявлением лицемерия. Сделать вид, что ничего особенно не произошло, было неприлично. Она действительно не знала, как себя вести. К тому же на нее смотрел этот незнакомый высокий мужчина.

Очевидно, Ирина поняла состояние дочери и решила прийти ей на помощь.

— Сядь и успокойся, — посоветовала она, — наверное, нас вызовут в прокуратуру и будут допрашивать. Тебе нужно успокоиться. Заодно познакомься с моим давним другом. Это господин... Как тебя представить? Господин Дронго, он любит, чтобы его так называли.

— Дронго? — усмехнулась Тамара, протягивая руку. — Я слышала, что в Москве есть такие рестораны. Это не в вашу честь?

— Не думаю. — Сейчас не стоило ничего объяснять этой девочке.

— Вы эксперт по расследованиям преступлений, — вспомнила Тамара, — я про вас читала. Такой современный Шерлок Холмс?

— Не уверен, что подхожу под это определение, — пробормотал Дронго.

— Перестань, — строго одернула ее мать, — это мой друг, которого я попросила помочь Давиду Георгиевичу. Но все получилось слишком быстро.

— Как его убили? — спросила дочь. — У него была такая охрана.

— Кто-то его отравил.

— Как это отравил? Разве он питался в каких-то забегаловках?

— Его отравили намеренно, — терпеливо объяснила мать. Она закашляла и потушила сигарету.

— Извините, — сказал Дронго, — мне, наверно, нужно уйти. Я хотел вас предупредить, чтобы вы заранее подготовились к разговорам в прокуратуре и в милиции. Я думаю, что вас обязательно вызовут.

— И я осталась сиротой, — развела руками Тамара.

— Не ерничай, — одернула ее мать, — в такой момент.

— В какой? — разозлилась дочь. — Я его не знала и даже не подозревала о его существовании. Теперь я должна сделать вид, что ужасно переживаю по поводу его смерти. А я совсем не переживаю. Он бросил тебя много лет назад и с тех пор совсем не изменился. Есть такие кобели, которые не меняются до ста лет. Если бы он не узнал, что я его дочь, он бы и меня постарался затащить в свою постель. И я должна плакать по поводу его смерти? Никогда в жизни. Ты избавилась от этого типа. Я могу тебя только поздравить.

— Тамара, — крикнула мать, — перестань. Не нужно больше ничего говорить.

— Ты была у него сегодня ночью? — вдруг спросила дочь. — Я звонила к тебе и не могла тебя найти. А потом позвонила в машину и узнала, что ты не дома. В четыре часа утра.

— Кто тебе сказал?

— Виктор, конечно. Он тебя прождал всю ночь. Но не сказал мне, где ты была. Как всегда, промолчал. Просто сообщил, что ты не дома. Ты снова поехала к нему? Хотела вымолить прощение за мое поведение?

— Нет, — отрезала мать, — не хотела.

— Не обманывай, — нахмурилась дочь, — тебе ужасно хотелось свести нас, чтобы я начала любить своего подлого папашу, значит, ты снова поехала к моему биологическому отцу, чтобы доказать, какая у него хорошая дочь. И все-таки решила у него остаться? Или он что-то наговорил тебе и ты от него снова ушла. Может, он тебя ударил, как меня?

— Перестань, — Ирина поднялась, — не смей так со мной разговаривать...

— Почему ты снова поехала к нему унижаться? — крикнула дочь. — Хотела убедиться, что он изменился?

— Я не у него была, — ответила мать, — сегодня ночью я была совсем в другом месте.

— У тебя появился новый любовник, — насмешливо спросила Тамара, — с чем тебя и поздравляю.

— Я лучше пойду, — еще раз сказал Дронго, — до свидания, Ирина Дмитриевна, до свидания, Тамара. Если разрешите, один совет на прощание. Не нужно так разговаривать со своей матерью. Это не совсем правильно. До свидания.

Он повернулся и вышел. Бедная Ирина, подумал он, уже входя в кабину лифта. У нее абсолютно неуправляемая дочь. Представляю, как злился Чхеидзе, когда эта молодая нахалка пыталась вывести его из состояния душевного равновесия. Наверно, ей это удалось.

Домой он вернулся к двум часам дня. Когда он вошел в квартиру, ему позвонил Эдгар.

— Мы все проверили, — сообщил Вейдеманис, — никакого яда там нет.

— Ты в этом уверен?

— Я попросил ребят из лаборатории ФСБ сделать срочный анализ. Абсолютно точно, там нет никакого яда.

— Спасибо, — задумчиво сказал Дронго и положил трубку.

«Час от часу не легче, — подумал он. — Как такое может быть?»

День четвертый.
РЕАЛЬНОСТЬ

Дронго сидел в своем кабинете, размышляя о случившемся. На часах было около пяти. После анализа, проведенного по его просьбе, все возможные предположения выглядели не совсем обоснованными. Нужно было понять, что именно произошло в номере. Он даже не мог предположить, что ему позвонят в этот день и сообщат абсолютно противоположную новость. Но в пять вечера ему позвонили. Он услышал незнакомый голос и решил не поднимать трубку, но тут вдруг позвонивший представился Мужицким. Дронго быстро снял трубку. Что-то случилось, если сам заместитель прокурора решил ему позвонить.

— Добрый день, господин Дронго. — Мужицкий был гораздо более любезен, чем сегодня утром.

— Здравствуйте, — произнес Дронго, озадаченный неожиданным звонком.

— Дело по факту убийства гражданина Германии Давида Чхеидзе будет вести следственный отдел ФСБ, — любезно сообщил Мужицкий, — я уже разговаривал с его сотрудниками. И должен сказать, что был очень удивлен их реакцией на ваше участие в этом странном деле. Оказывается, вы очень известный эксперт в своей области...

— Спасибо.

— Они с вами свяжутся. Но должен сказать, что уже сейчас все понятно. Его отравили... Нужно только проверить, кто именно посещал его в последние дни.

— Все не так просто, как вам кажется, — возразил Дронго, — вполне возможно, что ситуация несколько иная...

— Извините, — весело перебил его Мужицкий, — все абсолютно понятно. Его отравили. Бутылку мы уже забрали и проверили. Виски было отравлено...

— Не может быть, — опешил Дронго, — этого просто не может быть.

— Но это так, — радостно сообщил Мужицкий, — я только сейчас получил результаты анализов из лаборатории ФСБ. В бутылке была синильная кислота. Его отравили, в этом нет никаких сомнений. Я думаю, что уже сегодня мы будем знать, кто это сделал. Или завтра. Это такое дело, где не нужно прилагать особых умственных усилий, чтобы раскрыть преступление. В коридоре круглосуточно дежурили охранники, которые никого в номер не пропускали. Значит, его отравил кто-то из своих. Я узнал, что за эти дни у него были только три посетителя. Исполняющий обязанности президента компании Самойлов, главный редактор журнала Ирина Миланич и сотрудница строительной компании Тамара Дмитриева. Вот вам и все подозреваемые. Плюс двое его людей, которые к нему входили все время. Его личный секретарь, очень интересная женщина, и его телохранитель, который не понимает по-русски. Но мы найдем переводчика, это не такая большая проблема. Остается допросить всех пятерых и найти убийцу.

— Каким образом? — осведомился Дронго. — Вы собираетесь их пытать? Или допрашивать с помощью детектора лжи? А если никто из них не сознается? Что тогда вы будете делать? Арестуете всех пятерых? Но двое из них иностранные граждане. Вам нужно согласовать подобный вопрос с посольством, вызвать их консула, задержать этих людей на определенный срок. И я совсем не уверен, что суд согласится с вашими доводами.

— Вы хотите усложнить нашу задачу, — добродушно ответил Мужицкий, — для меня было самое важное установить, какая жидкость была в бутылке.

— Ошибка исключена?

— Какая ошибка? — удивился Мужицкий. — В лаборатории ФСБ? Вы, наверное, шутите. Я даже по запаху определил, что бутылка отравлена. В общем, все понятно. Один из пятерых был заинтересован в его смерти. Возможно, что это господин Самойлов. По нашим данным, два дня назад в автомобильной аварии погиб президент компании Касаткин, и Самойлов теперь его замещает. Речь идет об инвестициях на сумму более чем в сто миллионов долларов.

— Вы пошли по самому простому пути, — возразил Дронго, — все не так просто, как вам кажется.

— Я думаю, что мы найдем убийцу, — убежденно произнес Мужицкий, — но я хотел вам позвонить и сообщить, что ваша помощь все равно не понадобилась. Сейчас приедут для допроса иностранные граждане с переводчиком и консулом. В такое время мы сидим на работе, чтобы с ними побеседовать. В субботний день, между прочим. А завтра утром мы специально приедем на работу, чтобы допросить всех остальных, и постараемся выяснить, кто убийца. До свидания, господин Дронго. Зато теперь я буду знать, что в нашем городе живет такой эксперт.

— До свидания. — Дронго положил трубку. Затем быстро набрал номер своего друга. — Эдгар, по-моему, произошла какая-то глупая ошибка. Ты уверен, что тебе дали верные результаты анализа?

— Безусловно. Я попросил все проверить два раза. Абсолютно точно, там не было никакого яда.

— Сотрудники прокуратуры отправили бутылку на анализ, — сообщил Дронго, — мне только что звонил заместитель прокурора. Он сообщил, что в лаборатории ФСБ проверили содержимое бутылки и обнаружили там яд.

— Значит, это была другая бутылка, — предположил Вейдеманис.

— Нет. Я держал ее в руках.

— Но ошибка исключена. Я могу позвонить им еще раз.

— Значит, я ошибся. Произошло какое-то событие, которое я пока не могу объяснить. Ты понимаешь, что там случилось? Я сидел у него в гостиной, когда он показывал мне эту бутылку. И в этот момент к нему постучались. Он пошел открывать дверь, а я воспользовался моментом и смочил свой платок жидкостью из его бутылки. Поэтому я абсолютно уверен, что это та самая бутылка. Ведь я держал ее в руках. А утром он погиб. И самое смешное, что он показывал мне эту бутылку. И значит, никак не мог из нее выпить, хотя бы потому, что он не был идиотом.

— Не понимаю, — ответил Эдгар, — я просто не понимаю.

— И я ничего не понимаю. Во всяком случае, из этой бутылки его не могли отравить, это абсолютно точно.

Дронго положил трубку. Как такое могло произойти? Он успел смочить свой платок, чтобы проверить предположение Чхеидзе. Но в бутылке не было яда. А утром Давид умер, и в бутылке находят яд. И еще пропал его пистолет, который должен был находиться в гостиной.

Нужно успокоиться и попытаться понять, что именно там могло произойти. Нужно проанализировать случившиеся факты и сделать верные выводы. И в этот момент он услышал звонок внутреннего телефона. Это позвонил дежурный охранник, сидевший в холле его дома. Он сообщил, что приехала молодая женщина, которая просит пропустить ее в дом.

— Как ее зовут? — спросил Дронго, уже предполагая ответ.

— Тамара Дмитриева, — сообщил охранник.

— Пропустите ее, — разрешил Дронго.

Через несколько минут девушка была на пороге его квартиры. Он открыл дверь. Она стояла, прислонившись к дверному косяку. Смотрела на него, методично жуя жвачку.

— Добрый вечер, — поздоровался первым Дронго, — чем обязан?

— Я узнала, где была моя мать, — сообщила ему Тамара, — мой двоюродный брат не выдержал моего давления. Вы наверняка знаете, что он работает водителем у моей матери.

— Возможно.

— Вы не хотите меня впустить? — осведомилась она.

— А вы хотите войти?

— Если вы меня впустите.

Он посторонился, и она вошла в квартиру. Сняла куртку, протянула ему и прошла дальше в гостиную. Он повесил куртку в стенной шкаф. Под курткой у нее был темный жакет. Он прошел за ней.

— У вас есть что-нибудь выпить? — спросила Тамара, усаживаясь на диван. Как раз на то самое место, где сегодня ночью сидела ее мать.

— Сколько вам лет, Тамара? — грустно спросил Дронго.

— Вы собираетесь меня воспитывать? — усмехнулась она. — Уже поздно. Я совершеннолетняя.

— Не собираюсь. Просто считаю, что ваша глупая поза может стать неотъемлемой частью вашего имиджа. Иногда маска, которую мы выбираем в молодости, навечно пристает к нашему образу. И маска диктует нам наше поведение и определяет нашу судьбу.

Она закинула ногу на ногу.

— Будете меня воспитывать? — спросила Тамара. — Ничего не поможет. Я теперь знаю, кто вы такой. Мама приезжала ночью к вам. Вы тот самый мужчина, о котором она мне говорила. Вы встречались с ней где-то на Балканах, кажется, в Румынии или в Болгарии. И она все время о вас говорила.

— Надеюсь, что ничего плохого.

— Нет. Она считала вас образцом настоящего мужчины. Я только не совсем понимаю, почему она столько лет с вами не встречалась. Или вы были женаты?

— У вас безупречная логика, — иронически заметил Дронго, — какие еще предположения вы хотите сделать?

— Больше никаких, — она взглянула на него, — значит, мать приезжала к вам. Интересно, о чем вы с ней договорились? Вы решили ей помочь? Вы ее любите?

— Слишком много вопросов, — ответил Дронго, — мне очень нравится ваша мама, но как именно я должен был ей помогать? У вас есть какие-то конкретные предложения? По-моему, ваша мама не нуждается ни в чьей помощи. Она достаточно успешный человек, сделавший свою карьеру и свою судьбу.

— Успешный и одинокий, — согласилась Тамара, — я все время думала, зачем она вас нашла. А потом поняла. Вы были любовниками в молодости. И она решила воспользоваться вашей помощью. Ничего не говорите, я сама все расскажу. Я ведь юрист по образованию, можно сказать, ваша коллега. Вы, наверное, сумели с ней договориться и отправились к моему отцу, чтобы решить вопрос с конкурентом раз и навсегда. Я думаю, что вы его и отравили. Ведь вы вне всяких подозрений. Кто станет подозревать эксперта, которого пригласили помочь! Никто, кроме вас, не смог бы убить Давида Чхеидзе. Я не называю его своим отцом, потому что он им фактически не был. Я выросла без отца, хотя родители Викентия Миланича были для меня хорошими бабушкой и дедушкой.

Она вытащила из кармана бумажку, отвернулась, положила жвачку на бумажку и, быстро завернув ее в комочек, убрала в карман. Дронго усмехнулся. Она только играла хамку, но на самом деле была совсем иначе воспитана.

— Это прекрасно, что у вас были хорошие дедушка и бабушка, — сказал Дронго, — с чем вас и поздравляю. Хватит говорить глупости и вести себя подобным образом. Вы прекрасно понимаете, что я никого не убивал. Вы ведь достаточно умная и сообразительная девочка. Золотая медаль в школе, красный диплом юридического факультета в таком престижном университете... Вы совсем не дурочка, за которую себя выдаете. И не нужно так усердно строить из себя хамку и нахалку. Я уже сказал вам про «власть маски». А теперь поясните: зачем вы пришли? Чтобы рассказать мне о том, как я убил вашего отца?

— Нет, — возразила она, задумчиво глядя на Дронго. — Вы знаете историю моей матери? За последние два дня я узнала много нового.

— Что именно?

— Все. И насчет своего отца. И насчет ее первого мужа. И насчет второго. В общем, я многое узнала и поняла. В ее жизни было только одно светлое пятно. И это вы, господин Дронго. Не понимаю, почему вам так нравится эта оскорбительная кличка. Взяли бы себе имя «Гепард» или «Лев». Хотя был такой известный террорист Шакал. Но это уже на ваше усмотрение.

— Вы закончили?

— Нет. Только начала. С самого детства мне всегда ставили мою мать в пример. Какая она молодец, как много работает, многого добилась. Мой дедушка, ее отец, был известным ученым. Даже он всегда говорил мне, что я должна быть похожа на свою мать. И у меня сложился комплекс такого «гадкого утенка». Что бы я потом ни делала, я делала не совсем так, как моя умница мать. Даже в моей золотой медали был привкус горечи, ведь мне дали ее в обычной школе, а она окончила школу с углубленным изучением английского языка. И мой красный диплом тоже не произвел на родных никакого впечатления, ведь мне просто вручили диплом, а ей предложили остаться на кафедре. В общем, что бы я ни делала, я всегда оставалась второй. Немного грустно, но я уже с этим смирилась. И она всегда вспоминала про вас. Что в ее жизни был такой невероятный мужчина. Она даже считает, что встреча с вами отчасти помогла ей принять решение о первом разводе и определила ее судьбу.

Дронго молча слушал. Он видел, как волнуется Тамара. Как дрожат ее губы. Ей было нелегко решиться на этот разговор.

— Поэтому я пришла к вам, — продолжала она. — Что именно тогда произошло между вами? Почему она до сих пор помнит ваши встречи? И о чем вы с ней договорились сегодня ночью? Это она убила моего отца? Или вы сделали это для нее? Я не пойду в милицию и не заявлю на собственную мать, но мне нужна правда. Вся правда, господин Дронго.

Он грустно усмехнулся.

— Мы часто даже не предполагаем, как именно отзовется тот или иной шаг в нашей судьбе, — ответил Дронго, — та или иная встреча. Я тоже запомнил встречу с вашей матерью, но совсем по другим причинам. Что касается убийства вашего отца. Не нужно думать так плохо о собственной матери. Она бы не пошла на убийство, даже после всего, что с ней произошло.

— А вы? Вы же известный эксперт. Неужели вы никогда не убивали? Никогда?

— Я не буду отвечать на ваш глупый вопрос. Но вашего отца я, конечно, не убивал. Мне даже обидно, что вы могли так плохо обо мне подумать.

— А может, хорошо, — вдруг возразила Тамара, — или вы считаете, что я его должна была обожать? Типичный кобель, как и все мужчины его возраста. Вашего возраста, — добавила она, чуть подумав, — вам достаточно кивнуть и улыбнуться, чтобы вы, подняв хвост, побежали за любой женщиной.

— Хватит, — прервал ее Дронго, — я больше не хочу разговаривать на эту тему. Вы думаете, что у нас была какая-то особая тайна в отношениях с вашей матерью? Нельзя быть такой наивной. Просто так совпало. В тот момент она уже твердо решила разводиться. А мне предстояла трудная работа. И мы знали, что впереди у нас будут определенные сложности. Может, поэтому мы чувствовали себя достаточно раскованно. И оба чувствовали эту раскованность. Вот и весь секрет, если вам интересно это знать.

— Кто убил моего отца? — спросила она. — Ведь вы наверняка знаете?

— Не знаю. Я пока ни в чем не уверен. Но я думаю, что мы сумеем установить истину.

— «Установить истину», — передразнила она его, — посмотрим, как у вас получится. — Она поднялась с дивана. — Вы негостеприимный хозяин, — сказала она с некоторым сожалением, — так не принимают гостей. Прощайте. Вам не говорили, что от вас веет меланхолией и скукой?

— Вы первая...

— Я думаю, что не последняя. — Она взяла куртку и, не надевая ее, вышла из квартиры.

Он закрыл дверь. Прислонился к стене. Скукой и меланхолией. Он улыбнулся. Для Тамары он слишком скучный, ведь их разделяет разница в двадцать с лишним лет. Откуда ей знать, какой он был тогда, в молодости.

День четвертый.
РЕАЛЬНОСТЬ

На часах было половина девятого, когда ему снова позвонил Мужицкий.

— Вы все знали и ничего нам не сказали, — возмущенно начал он, даже не поздоровавшись, —

287

как вам не стыдно! Мы бы сразу закончили расследование. Почему вы нам не сказали?

— Что именно? Трудно разговаривать, когда вы начинаете с обвинений. Я должен иметь возможность хотя бы узнать, в чем именно меня стыдят и обвиняют.

— Вы ведь знали, что Тамара Дмитриева является дочерью погибшего, а главный редактор журнала Ирина Миланич — ее мать. Почему вы ничего нам не сказали?

— Вы у меня ничего не спрашивали. Наоборот, когда я пытался вам помочь, вы меня отослали, заявив, что не нуждаетесь в моей помощи.

— А вы сразу ушли, даже не попытавшись нам что-нибудь рассказать. Ведь если у погибшего есть такие наследники, заинтересованные в его смерти, то это сразу меняет все дело.

— Кто вам сказал, что они могут быть заинтересованы?

— Его состояние оценивается в несколько сотен миллионов долларов, — напомнил Мужицкий, — и в таких случаях нужно искать, кому было выгодно его убить. Конечно, наследникам в первую очередь. И сегодня вечером мы узнаем, что в апартаментах Чхеидзе были его дочь и мать дочери. Согласитесь, что это полностью меняет всю картину. Теперь понятно, кто на самом деле мог быть заинтересован в устранении нашего гостя.

— Я не уверен, что они основные подозреваемые, — возразил Дронго, — они много лет не общались и, насколько я знаю, очень состоятельные люди, чтобы не предпринимать подобных рискованных шагов.

— Очень состоятельные? — хмыкнул Мужицкий. — Они нищие по сравнению с теми деньгами, которые были у погибшего.

— Это некорректное сравнение. Тогда погибший был нищим по сравнению с известными российскими олигархами.

— Так и есть, — удовлетворенно заявил Мужицкий, — у этих людей только деньги на уме. И они завидуют тем, у кого их больше. И ради денег готовы на любое преступление. Вы почитайте журнал, который выпускает Ирина Миланич. «Ради успеха ты должен быть готов на все». Это фраза из ее журнала. Я специально попросил принести мне несколько последних номеров. Вот еще одна фраза: «Подумай, чего тебе не хватает, чтобы добиться максимального успеха» или другая: «Не держись за фаворитом, старайся его обойти». Вот так. Она, видимо, дает советы другим и сама применяет их в жизни.

— Это женский журнал. Там совсем другие

проблемы, — с досадой заявил Дронго, — кто вообще рассказал вам о том, что Тамара — дочь Чхеидзе?

— Это не важно, — быстро заявил Мужицкий, — теперь мы все знаем, и завтра мы привлечем их к уголовной ответственности. И мать, и дочь. Возможно, они были в сговоре, а возможно, виновата одна из них. Но мы постараемся это выяснить. Тем более что Тамара Дмитриева работает в строительной компании, куда собирался инвестировать свои деньги погибший.

— Это совпадение.

— Вы верите в такие совпадения? Он наверняка знал о том, что Тамара работает в этой фирме, и готов был поддержать свою дочь таким образом.

— Мы с ним разговаривали. Он ничего не знал. А она работает в компании только второй год. Обычным помощником. Или секретарем, что-то в этом роде. Она не директор компании и не президент. У нее нет и не могло быть акций компании. Неужели вы ничего не хотите понять?

— Меня предупредили, что вы попытаетесь их выгораживать, — заявил Мужицкий, — но теперь все понятно, и я надеюсь утром получить их признание.

— Сегодня вы должны были допросить Лиану и Гюнтера, — вспомнил Дронго, — значит, подобные сведения вам могла сообщить только Лиана. Это она вам рассказала про Ирину и ее дочь?

— Какая разница? Она дала показания как свидетель и сказала нам правду.

— Значит, она. Очень странная позиция. Послушайте меня, господин Мужицкий. Не торопитесь с арестом несчастных женщин. Можете себе представить, как они переживают? Дочь потеряла отца, а женщина — своего друга. Пусть и бывшего, от которого она имела ребенка. И вы собираетесь их арестовать! Ирина Миланич очень известный в Москве человек. Этот арест вызовет много шума, а если выяснится, что вы ошиблись, я думаю, что ваша карьера будет на этом завершена. Послушайте доброго совета. Не торопитесь. Если вы не будете допускать грубых ошибок, я думаю, что смогу уже завтра рассказать вам, что именно произошло в апартаментах погибшего. Только один день. Подумайте, господин Мужицкий, и о своей репутации, и о моей. Вам же сказали, что я редко ошибаюсь. И если вы мне доверитесь, то уже завтра будете иметь объективную картину происшедшего.

— Завтра у нас воскресенье, — сообщил Мужицкий, — и поэтому мы не будем их допрашивать до понедельника. Мы и так работали ради этих иностранцев в субботу вечером. Завтра я дам своим людям отдохнуть. Но если кто-нибудь из подозреваемых сбежит, я буду считать, что это вы помогли им скрыться, заранее предупредив о предстоящем допросе. И сделаю соответствующие выводы.

— Никто не сбежит, — заверил его Дронго, — а завтра вечером я вам постараюсь все рассказать. Только скажите, это была Лиана?

— Да, — ответил после недолгого молчания Мужицкий, — она рассказала, что Ирина Миланич дважды появлялась в апартаментах. И у них каждый раз был неприятный разговор с погибшим. Она рассказала и о встрече дочери с отцом. Там возник большой скандал, охранники тоже слышали, как кричал Чхеидзе. Мне лично все понятно. Не понимаю, почему вам неясно, что именно произошло. Но завтра мы не будем с ними беседовать. Вы правы насчет Ирины Миланич. Выяснилось, что супруга нашего городского прокурора — ее подруга. И поэтому я не стану тревожить их в воскресенье. К тому же в понедельник мы получим результаты вскрытия тела и тогда уже абсолютно точно скажем, каким образом убили Чхеидзе.

— А нельзя провести патологоанатомическую экспертизу уже завтра? — предложил Дронго.

— Завтра воскресенье, — напомнил ему заместитель прокурора, — мы можем подождать.

— Нет, — возразил Дронго, — вы же сами говорите, что нельзя в таких случаях ждать. С допросами можете повременить. А экспертизу проведите не откладывая. Прямо завтра утром. Результаты будут очень важны для успешного расследования. И еще одно маленькое уточнение. После допроса иностранцев вы разрешили им покинуть территорию страны? Верно?

— У нас нет к ним претензий, — ответил Мужицкий, — они уедут и снова вернутся за телом погибшего. Тот завещал похоронить его в Грузии, где он родился. Они обещали выполнить волю покойного. Но только после того, как мы завершим все наши формальности.

— Именно поэтому вам нужно спешить, — посоветовал Дронго, — не откладывайте вскрытие. Нужно иметь полную картину происшедшего, перед тем как предъявить обвинение.

— Я подумаю, — несколько разочарованно сказал Мужицкий, — до свидания.

— Подумайте, — сказал на прощание Дронго, — всего хорошего.

Он положил трубку, задумался. Значит, Лиана успела все рассказать в прокуратуре. Как быстро и оперативно. Теперь нужно отправиться в отель и найти ее, чтобы переговорить. У него не так много времени. Если не успеет, то, возможно, Мужицкий не станет его слушать. Вызовет Ирину с дочерью и чего доброго даже предъявит им обвинения. Нет, обвинения он может предъявить только после официального заключения патологоанатомической экспертизы, которая определит, когда и от чего умер Чхеидзе. Значит, время пока есть. И сотрудники прокуратуры руководствуются не гуманным отношением к женщинам, а всего лишь ждут результатов экспертизы. Жидкость в бутылке уже исследовали, значит, оружие преступления у них есть. После того как они получили мотив для убийства, им остается провести вскрытие тела погибшего, получить акт экспертизы и уже на этих основаниях предъявить обвинение подозреваемым. Хотя прямых улик все равно не будет. А если будут? Ведь на бутылке могли остаться отпечатки Ирины. Или его собственные отпечатки. Кажется, Лиана затеяла очень неглупую игру.

Он начал быстро одеваться. Нужно найти в отеле эту женщину и срочно с ней переговорить. Даже если придется прорываться сквозь охранников. Хотя их там, наверно, уже нет. Ведь они охраняли несчастного Чхеидзе. Заодно нужно будет пройти по переходу. Может, удастся встретить эту цыганку, которая так хорошо видит будущее. Может, попросить у нее рассказать и о его будущем? Или, узнав, что ему предстоит быть убитым через два дня, он, как и погибший Давид Георгиевич, начнет психовать, суетиться, нервничать и в конце концов окажется легкой жертвой неизвестного убийцы. Нет, он не будет слушать предсказания цыганки. Гораздо лучше жить и ничего не знать о своем будущем, чем получать подобные предсказания.

Через полчаса он уже входил в здание отеля «Националь». Он оказался прав. Сотрудников охраны, которые дежурили на улице и в коридоре, обеспечивая безопасность Чхеидзе, здесь уже не было. Их убрали за ненадобностью. К тому же сегодня всех, по очереди, допрашивали в милиции и в ФСБ. Поднявшись на нужный ему этаж, он постучал в комнату Лианы. Прислушался и снова постучал. Никто не отвечал. Он удивился. Затем, немного подумав, он повернул направо и постучал в номер, который занимал Гюнтер Вебер. Эти два номера располагались рядом с апартаментами Чхеидзе. Он услышал какой-то шум и еще раз постучал. Через мгновение ему открыл дверь Вебер. Он был в халате отеля. Увидев Дронго, он явно испугался. И, не скрывая своего испуга, спросил по-немецки:

— Что вам нужно?

— Где Лиана? — спросил Дронго на английском.

— Она... сейчас... — Гюнтер подбирал слова. Дронго вспомнил, что перед ним гражданин Швейцарии.

— Ты понимаешь итальянский? — спросил он уже на итальянском.

— Хорошо понимаю, — сразу ответил Вебер.

— Где сейчас Лиана?

— Она в апартаментах хозяина, — показал на соседнюю дверь Гюнтер.

— Вас вчера допрашивали? — спросил Дронго.

— Да, — кивнул Вебер, — через переводчика. Я им рассказал, кто приходил. В том числе и вы.

— Где оружие?

Гюнтер нахмурился. Он не впервые слышал про пистолет и не мог скрыть своего смущения.

— Я вернул пистолет владельцу, чтобы у него не было неприятностей, — пояснил Вебер. — Лиана мне разрешила. Никто об этом больше не знает. И вы не говорите. Я не стал им рассказывать, что мы забрали оружие у одного из этих парней. Он немного знал немецкий.

— Бесплатно?

— Мы дали ему тысячу долларов. Он одолжил оружие на одну ночь.

— За такие деньги можно было купить новый пистолет, — хмыкнул Дронго. — И сегодня вы больше нигде не были?

— Только в прокуратуре. И еще заезжали в женскую консультацию. Я не знал, куда мы приехали, Лиана вошла в здание, и я спросил у охранника. Того самого, который немного понимает по-немецки. Он мне сказал. Больше мы нигде не были.

— Понятно. Спасибо.

Дронго пошел к другой двери и постучал. На этот раз дверь сразу открыли, словно его уже ждали. Он увидел Лиану. Он была в темном брючном костюме. Волосы были аккуратно уложены.

— Это вы? — удивилась Лиана. — Что вы хотите?

— Поговорить с вами.

— Я не хочу с вами разговаривать. — Она попыталась закрыть дверь, но он поставил между косяком и дверью ногу.

— Уходите, — Лиана приоткрыла дверь, — уходите, — повторила она, — иначе я позову Гюнтера.

— Зовите, — согласился Дронго, — и заодно расскажите ему, зачем вы положили яд в бутылку.

— Что вы сказали? — Она явно смутилась.

— Вы откроете дверь или мне уйти?

Она оглянулась, словно опасаясь, что он войдет. И все-таки отворила дверь, впуская его в апартаменты. Он увидел разбросанные чемоданы и вещи, которые валялись по всем комнатам. Дронго усмехнулся. Она заметила, как он прореагировал, и нахмурилась.

— Я проверяю его вещи, — пояснила она, — вдруг найду там какие-нибудь важные документы.

— Не сомневаюсь, — сказал Дронго, — только вы не ответили на мой вопрос. Зачем вы положили яд?

— Я его не убивала, — жестко ответила Лиана, — я его любила. И с вами я не обязана разговаривать. Вы не следователь и не официальное лицо. Уходите. Я не буду с вами говорить.

— Хорошо. Тогда будете говорить с прокурором.

— Я ни в чем не виновата, — выкрикнула Лиана, — и я им все рассказала. И про его дочь, которая его ненавидела. И про ее мать. Пусть они все знают.

— Не сомневаюсь. Вы у нас правдолюб, — кивнул Дронго, — такой честный и порядочный. Вас нужно в кино снимать, в качестве главной героини.

— Не смейтесь, — воскликнула Лиана, — я

больше не хочу с вами разговаривать. Убирайтесь.

— Не кричите, — попросил он, — до свидания.

Он повернулся и вышел. Она со стуком захлопнула дверь. Он подумал, что ему еще нужно будет найти охранника, который знает немного немецкий язык. Но это уже технические детали. Возможно, завтра он действительно расскажет Мужицкому о том, что здесь произошло. Завтра расскажет. Он спускался вниз, размышляя над услышанным.

День пятый.
ПОСЛЕДНИЙ

К четырем часам дня в апартаментах, которые занимал Давид Георгиевич Чхеидзе, должны были собраться все участники разыгравшейся здесь трагедии. Дронго позвонил Мужицкому и попросил его приехать в отель. Заместитель прокурора пробормотал что-то о презумпции невиновности, затем о собранных доказательствах и, наконец, объявил, что приедет. В половине четвертого заместитель прокурора появился в отеле. Через пять минут туда приехал Дронго. Он объяснил, что сегодня закончит расследование происшедшего. Мужицкий возразил, что все только начинается. Результаты вскрытия тела будут к пяти часам вечера.

— Мне они уже не нужны, — пояснил Дронго, и заместитель прокурора только пожал плечами.

Они поднялись в апартаменты, где их ждали Лиана и Гюнтер. Со вчерашнего дня здесь произошли разительные перемены. Все вещи были аккуратно сложены, костюмы покойного снова убраны в шкафы и в чемоданы. Дронго улыбнулся, но не стал ничего комментировать. В четыре часа приехали Ирина и ее дочь. Обе вошли в апартаменты, держась за руки. И обе прошли к столу, далеко обходя ковер, словно опасаясь на него наступить. На Лиану они даже не смотрели. С Дронго не стали здороваться, только Ирина кивнула ему головой. Было заметно, как они волнуются. Молчание в ожидании Самойлова было почти невыносимым. Наконец в десять минут пятого появился Самойлов, который извинился за опоздание. Все с любопытством смотрели на Дронго, ожидая его объяснений. Мужицкий попросил подняться переводчика, молодого человека лет двадцать пяти, который должен был переводить все разговоры для Вебера. Переводчик сел рядом с Гюнтером, и тот невольно выпрямился, чувствуя себя очень значительным человеком. Сидевшая рядом Лиана явно нервничала, она все время теребила пальцы и покусывала губы.

— Давайте начнем, — предложил Мужицкий, — мы вас слушаем, господин Дронго.

— Спасибо. Благодарю вас всех за то, что приехали сюда, — поднялся со своего места Дронго, — а теперь я постараюсь рассказать вам, что здесь произошло за эти дни. И не только за эти дни.

Дело в том, что для начала мы должны вернуться на двадцать пять лет назад, когда парень Давид Чхеидзе приехал в Москву поступать в престижный МВТУ. В него он тогда поступил в Тбилиси и сюда попал уже без экзаменов, на место, которое выделяли для республики. Но затем он поехал не в Тбилиси, а по направлению в Новосибирск, посчитав, что там будет гораздо интереснее и перспективнее. Студентам, получившим места от республик, разрешали выбирать место работы, если они хорошо учились. Именно тогда он познакомился с молодой дочерью известного ученого Ириной Дмитриевой. Они полюбили друг друга, — Дронго заметил, как нахмурилась Ирина, и решил поправиться, — они нравились друг другу. И стали встречаться. Вскоре Ирина забеременела от Давида. Но ему ничего не сказала. К тому же он случайно допустил глупость, пе-

респав с какой-то доступной девицей. И об этом
сразу сообщили Ирине. Она не могла его простить. Он уехал в Новосибирск. Она вышла замуж за Викентия Миланича. Затем развелась с
ним, уже родив к этому времени очаровательную
девочку, которая находится рядом с нами. — Он
показал на Тамару.

— Вы еще скажите, что я прекрасный ребенок, — заметила Тамара, но мать ее одернула.

— Трудный ребенок, так будет точнее, — заметил Дронго, — но я продолжаю. Случившееся на-
ложило отпечаток на судьбу Чхеидзе. Он вернулся в Москву уже в восемьдесят четвертом. Ему
подсознательно казалось, что его отвергли именно из-за того, что он не имел никаких перспектив,
был беден, потерял к тому времени отца.

— Какая глупость, — не выдержав, громко сказала Ирина.

— Чхеидзе начал делать деньги, — продолжал
Дронго, — создал кооператив, приватизировал
бывшие здания института. Начал разворачивать
свой бизнес. Но в начале девяностых это было
очень рискованное предприятие. Бизнесменов
убивали сотнями, за ними охотились бандиты и
сотрудники правоохранительных органов. Извините, господин Мужицкий, но я говорю о событи-
ях многолетней давности. Сейчас, конечно, в Мо-

скве работают только исключительно честные и некоррумпированные сотрудники милиции и прокуратуры.

Мужицкий понял, что этот тип просто смеется над ним, но промолчал. Сейчас не время выяснять отношения, подумал он.

— К девяносто пятому году бизнес Чхеидзе стал очень опасным, и его компаньона даже убили. Тогда Давид Георгиевич решил уехать. Перед отъездом он случайно встретил в подземном переходе на Тверской цыганку, которая сказала ему, что он не сможет сюда вернуться целых двенадцать лет. Чхеидзе посмеялся над ее предсказанием и уехал, забыв обо всем.

Но вернулся он ровно через двенадцать лет. И только тогда вспомнил об этом предсказании.

— Правильно, — сказал, задыхаясь, Самойлов. Он расстегнул верхнюю пуговицу на рубашке, ослабил узел галстука. Он сильно потел и все время вытирал лоб носовым платком.

— В этот момент Чхеидзе случайно встречает цыганку. Я не уверен, что это была та самая женщина, с которой он встречался в девяносто пятом году. Но цыганка, посмотрев на его взволнованное лицо, соглашается, что она та самая женщина, с которой он уже виделся. И предсказывает ему аварию и два дня жизни, после которых его убьют.

Давид Георгиевич поднимается в отель и думает, как ему быть. Как материалист и прагматик, он решает не верить этому предсказанию и даже усаживается на то место, куда ему рекомендовали не садиться. Но ничего не происходит. Он успокаивается и уже в офисе компании спокойно подписывает все документы. А затем случайно оказывается в машине Касаткина, сразу за водителем. Сам Касаткин оказывается с правой стороны от водителя на заднем сиденье. И по роковому стечению обстоятельств именно туда врезается грузовик. Касаткин погибает, но Чхеидзе тоже достается. Удар пришелся в правый бок, и он едва не погиб, хотя нога и рука серьезно пострадали. Но врачи говорят, что переломов нет. И Давид Георгиевич возвращается домой.

В этот день к нему приезжает Ирина. Он потрясен ее новым имиджем, начинает понимать, какую глупую ошибку он совершил в молодости. Но уже поздно. Она рассказывает ему, что у них есть дочь. Это еще большее потрясение для Чхеидзе. И хотя врачи запрещают ему пить после аварии, он пьет виски и коньяк. Я смотрел в мини-баре, там почти не осталось бутылок с алкогольными напитками. А виски он пьет один, Ирина только немного пробует свой напиток.

На следующий день Чхеидзе вызывают в прокуратуру по поводу аварии. Затем он принимает свою дочь. Она приезжает сюда, также потрясенная тем, что он ее отец. Нужно понимать, что Тамара уже видела его и, очевидно, понравилась ему. Или он подсознательно что-то почувствовал.

Тамара хотела сказать, что он ничего не почувствовал, но промолчала.

— Между ними происходит конфликт. Я могу представить, как примерно его доводила Тамара. Вчера в похожих выражениях она пыталась вывести из себя и меня.

Ирина повернулась и взглянула на дочь.

— Да, — крикнула Тамара, — да, я у него была. Узнала, куда ты ездила, и поехала к нему. Он совсем не такой, каким ты его описывала. Занудный, скучный, невзрачный. И я ему все это сказала.

— У нас получился прекрасный разговор, — кивнул Дронго, — но в отличие от ее отца я человек терпеливый и спокойно выпроводил девушку. Чхеидзе же, вспылив, ударил дочь, и она отсюда сбежала. Но здесь появляется новое действующее лицо. Наш уважаемый секретарь босса — Лиана Каравайджева.

Переводчик тихо бубнил, переводя слова Дронго Гюнтеру. А Лиана, услышав свое имя, взглянула на говорившего своими голубыми глазами, но ничего не сказала.

— Прошу прощения, если дальше я буду говорить не совсем приятные вещи, — продолжал Дронго, — но совершенно очевидно, что между Давидом Чхеидзе и его секретарем существовали особые отношения. А точнее — интимные.

Самойлов пожал плечами. Ирина нахмурилась.

— Ну и что? — спросила Лиана. — Это мое личное дело. Я имею право встречаться с кем угодно.

— Безусловно. Тем более не стоит отпираться, ибо об этом мне говорил сам Давид Георгиевич. Он не считал нужным даже скрывать ваши отношения. Он был холостой и независимый мужчина. Но вы не просто с ним встречались. Дело в том, что вы ждете ребенка, Лиана. Вы уже на третьем месяце. Это Чхеидзе знал?

— Ложь, — крикнула, поднимаясь со своего места, Лиана, — не нужно лгать.

— Не кричите, — попросил Дронго, — я был в женской консультации, куда вы ездили вчера с Гюнтером. Вы полагали, что он не знает русского языка и не сможет ничего узнать. Но один из охранников понимал по-немецки. Он объяснил Веберу, куда вы пошли. А мне оставалось только найти этого охранника, узнать у него адрес больницы и отправиться туда. Вот справка, — достал из кармана бумагу Дронго, — вы на третьем месяце. И вы специально не проверялись в Цюрихе, опасаясь, что об этом узнает ваш босс.

— Очень хорошо, — зло произнесла Лиана, — но это тоже мое личное дело. Или в этой стране считается уголовным преступлением рожать детей? Это мое дело, от кого иметь детей. Только мое.

— Согласен. Но тогда не нужно так реагировать. Ребенка вы ждете, возможно, от Давида Чхеидзе. А возможно, и нет. Это будут еще проверять с помощью генетической экспертизы. Но вам нужен был ребенок для получения огромного наследства. И вдруг вы узнаете, что появилась дочь, которая может все отнять.

Мужицкий с заинтересованным видом придвинулся. Он внимательно слушал, не упуская ни одного момента из этой интересной беседы.

— Чхеидзе был в таком состоянии после аварии, что уже не отдавал себе отчета, что именно происходит, — сообщил Дронго, — к тому же сказались волнения по поводу переезда, ностальгия, ошеломляющее известие о наличии взрослой дочери, ссора с ней. В общем, все сошлось вместе. И предсказания гадалки. На третий день, когда должно было совершиться убийство, он попросил достать ему пистолет, и Вебер взял у охранника на одну ночь оружие.

Утром Чхеидзе снова выпил немного виски. Он разговаривал по телефону, и кубики льда растаяли в воде, превратив виски в теплую жижицу, от которой и здоровому человеку станет плохо. А у Давида Георгиевича были больные почки, которые он застудил еще три года назад в Норвегии. Когда он выпил этот разбавленный уже теплой водой виски натощак, ему стало плохо. Его начало тошнить. Типичный синдром при больных почках. Но он уже не верил самому себе, собственным ощущениям. Он с ужасом вспомнил о предсказании гадалки. Ведь сегодня его должны были убить. И тогда он перезвонил Ирине, отменил назначенные на тот день встречи и попросил срочно найти меня. А когда я приехал сюда, он мне обо всем и рассказал. Но я решил проверить содержимое бутылки. Как раз в тот момент в дверь постучались, и он пошел открывать дверь. Я достал носовой платок и смочил его жидкостью из бутылки.

Затем я отправил этот платок на анализ. Его сделали в лаборатории ФСБ. И выяснили, как я и предполагал, что виски не содержало яда...

— Он там был, — быстро вставил Мужицкий.

— Подождите, — попросил Дронго, — я еще не закончил. Итак, в бутылке не было яда, что подтвердила и экспертиза. Вечером я уехал домой. Утром Чхеидзе нашли мертвым на полу. Но, кроме самого Чхеидзе, о предсказании цыганки знали все окружающие его люди. А вот о его отравлении мог знать только один человек. Его секретарь Лиана. — Он показал на секретаря.

На этот раз она вздрогнула. Все посмотрели в ее сторону, словно вдруг увидев перед собой изобличенную убийцу.

— Я его не убивала, — резко возразила Лиана, — не смейте обвинять меня в этом преступлении. Я подам на вас в суд, если вы скажете, что я его убила.

— Вы вошли в апартаменты и нашли его мертвым, — продолжал Дронго, — рядом валялся его пистолет. Вы сразу сообразили, какую выгоду можно извлечь из сложившейся ситуации. Вы разрешили Гюнтеру забрать оружие и вернуть его охраннику. Пока он выходил из комнаты, вы добавили яд в бутылку виски, которая стояла на столе. Когда сотрудники прокуратуры и милиции появились в отеле, они почувствовали отчетливый запах. Возможно, вы готовили яд совсем для других целей, сейчас об этом невозможно говорить с уверенностью. Но вы его положили в бутылку. У других подозреваемых просто не было такой возможности, ведь вы не могли знать, что я тоже решил проверить содержимое бутылки.

Она молчала, покрываясь красными пятнами.

— Дрянь, — крикнула Тамара, — это она убила моего отца.

— Подождите, — попросил еще раз Дронго, — не нужно делать столь скоропалительных выводов. Бутылку отправили на экспертизу, которая подтвердила наличие яда. И затем, во время допроса в прокуратуре, Лиана рассказала, что на самом деле Тамара является дочерью погибшего, а Ирина Миланич — ее мать. Мотив для убийства более чем очевиден. Огромное наследство. Самое печальное, что Лиана пала жертвой собственной предусмотрительности. Во-первых, она поверила цыганке, решив, что ее босса все равно убили. Во-вторых, решила немного «помочь» следствию. Ведь у прокуратуры и ФСБ нет прямых улик против подозреваемых. Она и подбросила эти улики, чтобы следователи могли предъявить обвинение Ирине Миланич и Тамаре Дмитриевой в совершении убийства, которого они на самом деле не совершали.

— Вы только подумайте, какая она стерва, — снова не выдержала Тамара.

— Предположим, что вы рассказали нам правду, — вмешался Мужицкий, — предположим, что все так и было. Но тогда кто убил Давида Чхеидзе? Кто его отравил?

— Никто, — ответил Дронго, — я уже говорил про его больные почки. Сильный стресс, автомобильная авария, удар по почкам, злоупотребление алкоголем, шок от встречи со своей дочерью и ожидание убийства. Он не выдержал подобного напряжения. И умер вчера на рассвете. Его никто не убивал, он убил себя сам, если можно так выразиться. Умер, когда поверил в предсказание цыганки.

— Глупости, — поднялся со своего места Мужицкий, — мы сейчас получим заключение патологоанатомической экспертизы, и вы поймете, что все рассказанное вами — сказка. Денисов должен привезти мне это заключение.

— Господин Мужицкий, — устало изрек Дронго, — я видел лицо погибшего. Он умер не от яда, могу вас уверить даже без вскрытия. Я видел слишком много умерших в результате отравления. Они выглядят совсем иначе.

— Это уже смешно. — Мужицкий достал телефон и стал набирать номер. — Где Денисов? Когда закончили? Когда он будет в отеле? Уже поехал. Хорошо. Что там написано? Нужно было узнать, черт вас подери. — Он убрал аппарат. — Сейчас узнаем, — недовольно сообщил он.

— Я не понимаю, — вмешался Самойлов, — не понимаю, что происходит. Предположим, что его никто не убивал и он умер сам. Предположим, что его убили. Но в обоих случаях нужно решать, что будет с его компанией. Что станет с деньгами, которые он должен инвестировать.

— И тут начинается вторая часть, — кивнул Дронго, — его наследником официально считается племянник, сын его сестры. Но сейчас выяснилось, что у него есть родная дочь, что подразумевает более близкую степень родства. И, возможно, еще один ребенок, если Лиана сумеет доказать, что носит под сердцем именно его ребенка. Боюсь, что ваша компания ничего не получит, уважаемый господин Самойлов. Начнутся длительные судебные процессы по установлению истинного наследника с обязательным наложением ареста на его счета и имущество. Если учесть, что Лиана уже давно работает в компании и знает многие секреты погибшего, а Тамара профессиональный юрист, хотя и молодой, они схлестнутся не на жизнь, а на смерть. И им будет не до инвестиций.

— Эта стерва не получит ни одного доллара, ни одного швейцарского франка, — злорадно пообещала Тамара, — это я могу ей гарантировать. Она еще хотела посадить меня в тюрьму.

— Вы не поняли, — возразил Дронго, — она хотела вас подставить, чтобы автоматически исключить из возможного числа наследников.

— Мы завтра выедем в Швейцарию, — вмешиваясь в разговор, пообещала Ирина Миланич, — и попросим наложить арест на все имущество.

— А я подам на вас в суд и докажу, что это не дочь Давида Чхеидзе и вы его обманули, — заявила Лиана.

Поднялся шум и крик. В этот момент дверь открылась, и в апартаменты вошел старший лейтенант Денисов. Он был явно смущен. Подойдя к Мужицкому, он протянул ему конверт с заключением экспертизы. Тот взял конверт и победно взглянул на Дронго.

— Тоже мне «эксперт», — иронично произнес он, открывая конверт. Но, по мере того как он читал, победная улыбка сходила с его лица. Он был явно ошарашен прочитанным.

Затем он оторвался от чтения акта и поднял лицо. Губы беззвучно шевелились.

— Что? — не выдержал Самойлов. — Что там написано?

— Они... он... но там был яд. Откуда вы все узнали? — спросил Мужицкий, с трудом выдавливая из себя слова.

— Я же вам сказал, что яд попал в бутылку после его смерти, — терпеливо повторил Дронго, — что там написано?

— Он умер от разрыва сердца, — выдавил Мужицкий, — сильное давление. Больные почки, стресс. И закупорка сердечного клапана. Его никто не убивал.

Он был так огорчен, словно упустил настоящего преступника. Мужицкий поднялся и пошел к выходу. Затем обернулся.

— В понедельник мы вынесем постановление о прекращении расследования. Иностранцы могут уехать. Наши граждане могут не приезжать для допроса. Дело считается закрытым.

— Как это закрытым? — закричала Ирина. — Оно только сейчас начинается.

Дронго подумал, что его прежняя знакомая уже начинает меняться. И не в лучшую сторону. Мужицкий посмотрел на него.

— Откуда вы могли все узнать? — печально спросил он.

— Я же вам сказал про две экспертизы, — пояснил Дронго.

Мужицкий махнул рукой и вместе с Денисовым пошел по коридору. Даже не закрывая за собой двери.

— Эта аферистка, — закричала Тамара, — настоящая шантажистка. Мы должны подать на нее в суд прямо сейчас. Она нагуляла от кого-то ребенка и теперь выдаст его за мою сестру или брата.

— Мы ей не позволим, — согласилась с ней Ирина, поднимаясь со своего места.

— Вы его все время обманывали, — в свою очередь крикнула Лиана, тоже поднимаясь со стула. Переводчик и Гюнтер бросились к ним. Самойлов с усталым видом сидел на стуле. Он посмотрел на Дронго и жалобно произнес:

— Предсказание цыганки сбылось. Во всяком случае, в отношении меня. Я стал «халифом на час». Только занял место президента компании и уже разорился. Вы слышите, как они ругаются. Не видать нам наших инвестиций.

— Это точно, — согласился Дронго.

Он пошел к выходу. У дверей он обернулся. Ирина, Тамара и Лиана кричали друг на друга. Дронго вздохнул, вышел в коридор и осторожно закрыл за собой дверь.

Литературно-художественное издание

АБДУЛЛАЕВ. МАСТЕР КРИМИНАЛЬНЫХ ТАЙН

Абдуллаев Чингиз Акифович

ТОЖДЕСТВЕННОСТЬ ЛЮБВИ И НЕНАВИСТИ

Ответственный редактор *О. Дышева*
Художественный редактор *А. Сауков*
Технический редактор *О. Куликова*
Компьютерная верстка *Е. Мельникова*
Корректор *Е. Дмитриева*

ООО «Издательство «Э»
123308, Москва, ул. Зорге, д. 1. Тел. 8 (495) 411-68-86.
Өндіруші: «Э» АҚБ Баспасы, 123308, Мәскеу, Ресей, Зорге көшесі, 1 үй.
Тел. 8 (495) 411-68-86.
Тауар белгісі: «Э»
Қазақстан Республикасында дистрибьютор және өнім бойынша арыз-талаптарды қабылдаушының
өкілі «РДЦ-Алматы» ЖШС, Алматы қ., Домбровский көш., 3«а», литер Б, офис 1.
Тел.: 8 (727) 251-59-89/90/91/92, факс: 8 (727) 251 58 12 вн. 107.
Өнімнің жарамдылық мерзімі шектелмеген.
Сертификация туралы ақпарат сайтта Өндіруші «Э»

Сведения о подтверждении соответствия издания согласно законодательству РФ
о техническом регулировании можно получить на сайте Издательства «Э»

Өндірген мемлекет: Ресей
Сертификация қарастырылмаған

Подписано в печать 10.08.2017. Формат 70x90$^1/_{32}$.
Гарнитура «Петербург». Печать офсетная. Усл. печ. л. 11,67.
Тираж 3500 экз. Заказ 7505.

Отпечатано с готовых файлов заказчика
в АО «Первая Образцовая типография»,
филиал «УЛЬЯНОВСКИЙ ДОМ ПЕЧАТИ»
432980, г. Ульяновск, ул. Гончарова, 14